ÉTONNANTS • CLASSIQUES

NINA BERBEROVA

L'Accompagnatrice

Traduction par LYDIA CHWEITZER

Présentation, notes, chronologie et dossier par
LAURE HUMEAU-SERMAGE,
professeur de lettres

GF Flammarion

Les contemporains dans la même collection

CARRIÈRE (Jean-Claude), *La Controverse de Valladolid*
CHEDID (Andrée), *L'Enfant des manèges et autres nouvelles*
Fêtes et lubies
Le Message
CLAUDEL (Philippe), *Les Confidents et autres nouvelles*
FERNEY (Alice), *Grâce et dénuement*
GRUMBERG (Jean-Claude), *L'Atelier*
LAROUI (Fouad), *L'Oued et le consul et autres nouvelles*
MATHESON (Richard), *Au bord du précipice et autres nouvelles*
Enfer sur mesure et autres nouvelles
SAUMONT (Annie), *Aldo, mon ami et autres nouvelles*
La guerre est déclarée et autres nouvelles
WESTLAKE (Donald), *Le Couperet*

Édition revue, 2007.
ISBN : 978-2-0812-0732-5
ISSN : 1269-8822

SOMMAIRE

■ Présentation 5

Un fabuleux destin 5
La Russie de *L'Accompagnatrice* 6
Une autobiographie fictive 9
Secrets, mystères et révélations 10
L'ombre et la lumière 11
La dualité des sentiments 12
La douce amertume de la fin 13

■ Chronologie 15

L'Accompagnatrice

■ Dossier 109

Testez vos connaissances sur la Russie... 111
La mélodie des sentiments 111
Vocabulaire : faites vos gammes ! 112
L'écriture de soi 113
Maria et Sonetchka : des relations ambiguës 115
La voix de la critique 116
L'Accompagnatrice au cinéma : le point de vue de Claude Miller 120

■ Nina Berberova.

Un fabuleux destin

Une « passante [du] siècle », telle est la façon dont Nina Berberova se définit dans son autobiographie intitulée *C'est moi qui souligne* (1972 et 1989, pour la traduction française). En effet, son histoire est le destin incroyable d'une femme russe qui a traversé le XXe siècle et en a vécu les grands événements.

Née à Saint-Pétersbourg en 1901, Nina Berberova meurt aux États-Unis en 1993. Issue d'un milieu bourgeois, elle échappe aux misères d'une Russie qui, dans les années 1910, s'écroule politiquement et économiquement. En 1922, alors qu'elle a vingt et un ans et que la guerre civile fait rage (voir *infra*), elle fuit avec le poète Vladislav Khodassevitch, en Allemagne, en Tchécoslovaquie, puis en Italie, en 1924, et enfin en France, en 1925 : tous deux rejoignent la communauté russe d'intellectuels exilés qui mènent à Paris une vie de bohème. Puis la Seconde Guerre mondiale éclate et la vie devient plus difficile. En 1950, lassée par la méfiance de la France à l'égard des émigrés de l'Est et brisée par la guerre, elle part à New York : l'Amérique l'accueille. Nina Berberova devient professeur de littérature russe dans de grandes universités. Elle vivra aux États-Unis jusqu'à la fin de sa vie. Témoin de la révolution russe de 1917, puis, au cœur de la tourmente des années 1940, engagée dans la défense des libertés combattues par l'URSS [1]

1. *URSS* : Union des républiques socialistes soviétiques, État communiste héritier de l'Empire tsariste, formé à l'issue de la révolution russe de 1917 et dissous en 1991.

de Staline, Nina Berberova, Russe, francophone et vivant aux États-Unis, a un destin hors du commun. Elle souligne elle-même l'importance de l'Histoire dans son existence : « Les malheurs de mon siècle m'ont plutôt servie : la révolution m'a libérée, l'exil m'a trempée, la guerre m'a projetée dans un autre monde [1]. »

Sa vie bascule à nouveau à la fin des années 1980 : à plus de quatre-vingts ans, elle devient un écrivain mondialement célèbre. Elle a certes déjà une longue expérience de la littérature. Elle est l'auteur de nombreux récits, de recueils poétiques, de chroniques ou de romans ; mais toutes ses œuvres ont été écrites en russe et publiées essentiellement dans des revues confidentielles composées en France ou aux États-Unis et destinées aux exilés russes. Son œuvre littéraire sort de l'ombre grâce au flair d'une traductrice, Lydia Chweitzer, et à l'enthousiasme d'Hubert Nyssen, fondateur des éditions Actes Sud, conquis par la prose de cette vieille dame qui n'a plus rédigé une ligne depuis vingt ans. En 1985, il publie en français *L'Accompagnatrice*. Le succès est immédiat : le roman est traduit en dix-sept langues et adapté au cinéma en 1992 par le réalisateur français Claude Miller. Les éditions Actes Sud font alors paraître l'intégralité des textes de Nina Berberova, qui s'éteint en 1993, après avoir vu renaître son œuvre !

La Russie de *L'Accompagnatrice*

Comme la plupart des écrits de Nina Berberova, *L'Accompagnatrice* est un témoignage sur la Russie et sur l'histoire tourmentée de ce pays. Le récit se déroule sur cinq ans : le lecteur

1. *C'est moi qui souligne*, Actes Sud, 1989.

accompagne l'héroïne, Sonetchka Antonovskaya, entre 1919 et 1924 – période agitée de la Russie.

La guerre est évoquée dans le roman : il s'agit à la fois de celle que la Russie mène de concert avec les alliés contre l'Allemagne et de celle qui déchire le pays, de l'intérieur. En 1917, après des années de troubles politiques et d'efforts de participation à la Première Guerre mondiale, le peuple, mené par les bolcheviks (partisans de Lénine), fait tomber le régime tsariste des Romanov (qui régnaient sur la Russie depuis 1613) : les révolutions de février puis d'octobre 1917 mettent fin à la monarchie impériale ; le pays devient une République socialiste fédérative et sombre dans la guerre civile et la misère. La famine qui commence, la raréfaction du travail que l'on accepte pour un peu de saindoux ou pour un peu de savon se trouvent évoquées dans *L'Accompagnatrice* (p. 40), tout comme les ventres gonflés par le gruau d'orge (p. 43), les bottes que l'on taille dans un tapis, la robe dans une nappe et le chapeau dans un coussin brodé (p. 42)... La misère de la Russie des années 1920 est aussi celle d'un vieux chanteur baryton qui meurt de froid et de faim, dans un appartement sale et totalement décrépit (p. 41-42), ou encore celle de la mère de Sonetchka, morte en allant chercher du ravitaillement. Et, à côté de ces gens qui vivent « comme des fourmis ou comme des loups » (p. 107), demeurent quelques privilégiés ou profiteurs tel Pavel Fédorovitch Travine, qui tire sa richesse de l'administration du ravitaillement et qui offre à sa femme, la cantatrice Maria Nikolaevna, un univers où tout est chaleur, abondance et beauté.

Les péripéties du récit suivent les convulsions de l'Histoire. Les personnages de Nina Berberova sont peu à peu menacés par un pouvoir de plus en plus autoritaire. Les bolcheviks livrent une guerre sans merci à tous les opposants au nouveau régime (les non-communistes, les tsaristes ou les partisans d'un régime constitutionnel). Le séjour des Travine à Moscou témoigne de ce tournant politique qui cherche aussi à faire de l'art un instrument au service de la révolution : Nina Berberova évoque les « réquisitions » (p. 64) dont est victime Maria Nikolaevna, sommée d'« assister à une réunion au Kremlin », de « chanter à la Philharmonie des morceaux bien précis » ou d'« accepter un engagement au Bolchoï » (p. 63). Ses héros fuient alors Moscou et arrivent à Paris après un long voyage qui les a menés à Novorossisk (au bord de la mer Noire) et à Constantinople.

Nina Berberova décrit ici une réalité historique qui fut la sienne : l'exil... Au lendemain de la première révolution russe de 1905 [1], la France compte déjà près de vingt-cinq mille émigrés politiques russes ; dans les années 1920, après la révolution d'octobre 1917, un million et demi de « Russes blancs » (les opposants politiques au nouveau gouvernement) quittent la République soviétique de Russie, le plus souvent sous la pression de l'Armée rouge ; quatre cent mille d'entre eux gagnent la France. Ils sont bientôt rejoints par un certain nombre d'intellectuels, hommes de lettres ou scientifiques expulsés par le pouvoir ou volontairement exilés. Ainsi Nina Berberova suggère-t-elle à travers la description de la vie festive des Travine à Paris celle des Russes fortunés qui font les beaux jours des Années folles. Ces derniers occupent en effet avec éclat le devant de la scène parisienne où tout ce qui est russe est à la mode, comme en témoigne le succès des œuvres de Gorki, de Tolstoï et des ballets de Diaghilev ; pour eux, « la vie recommen[ce] impétueuse, bariolée et généreuse » (p. 69).

Si la petite musique de *L'Accompagnatrice* résonne des orchestrations violentes de l'Histoire, elle laisse aussi entendre les doux accords de la voix d'une jeune fille nommée Sonetchka.

1. En janvier 1905, une manifestation pacifique est durement réprimée par les troupes du tsar : une violente crise politique éclate et déstabilise le pays.

Une autobiographie fictive

L'Accompagnatrice se présente comme une autobiographie. Une narratrice – Sonetchka Antonovskaya – dit « je » et parle d'elle-même. Elle relate sa vie dans un cahier qui nous est donné à lire. Le texte s'ouvre sur l'évocation des circonstances – honteuses dans la Russie conservatrice du début du XXe siècle – de sa naissance. Puis suit le récit d'une rencontre déterminante et « fatale » (p. 39), celle que Sonetchka fait avec Maria Nikolaevna Travina, grande cantatrice à la recherche d'une accompagnatrice. Enfin, la narration s'achève avec la séparation de Sonetchka et de Maria, qui part aux États-Unis. La voix qui commençait le récit en indiquant « C'est aujourd'hui le premier anniversaire de la mort de maman » (p. 33) s'interrompt au moment même de la disparition de cette mère, restée en Russie. L'ensemble se présente donc comme un récit autobiographique où Sonetchka dresse le bilan de sa vie : « Mémoires », « journal », « cahier », tous ces termes soulignent la volonté de l'héroïne de faire de la page le lieu d'une « conversation avec [elle]-même » (p. 101).

Le préambule (p. 31) entoure cette autobiographie d'un halo de mystères tout en tentant de faire croire à la réalité de la voix fluette de la jeune fille, à l'existence même de son journal. Un narrateur, dont on ne connaît pas l'identité – Nina Berberova, qui sait ? –, évoque le parcours de ce cahier, abandonné, acheté par un brocanteur de la rue de la Roquette et revendu à un certain Z. R. qui le lui a ensuite confié ; il précise qu'il a modifié certains éléments pour éviter que la vérité soit trop brutale, car « celle qui avait écrit et n'avait pas brûlé ce cahier avait vécu parmi nous, beaucoup de gens la connaissaient, l'avaient vue et entendue » (p. 32).

Toutes ces précisions tendent à authentifier l'écrit... même si le lecteur n'est pas dupe : cette autobiographie est l'œuvre de Nina Berberova, c'est une vraie fausse autobiographie.

Secrets, mystères et révélations

La thématique du secret parcourt l'ensemble de l'œuvre.

Dès les premières pages, le mystère s'installe. En effet, le préambule présente le cahier d'une femme, encore totalement inconnue du lecteur, et dont il sait qu'elle est morte. Si ce préambule éclaire, en l'anticipant, la fin du texte – c'est-à-dire l'arrêt brutal du récit de vie de Sonetchka –, il ne permet pas de déterminer les causes réelles de la mort de l'héroïne.

Celle-ci est entourée de mystères. Du début au terme du roman, c'est une fille de l'ombre : fruit des amours malheureuses de sa mère, professeur de piano, avec un de ses jeunes élèves, elle n'apprend que tardivement les circonstances de sa naissance et le mensonge que constitue la mort de son père ; par ailleurs, c'est seulement lorsque Sonetchka atteint une dizaine d'années que sa mère révèle à ses élèves le lien de parenté qui les lie toutes les deux. Mais cette voix de l'ombre est pourtant celle qui tente de percer les énigmes et qui veut mettre au jour les zones troubles des cœurs : elle devine en Pavel Fédorovitch, mari de Maria, un homme qui aime le jeu et les affaires, qui tait ses soupçons sur l'infidélité de sa femme et qui se cache pour dissimuler sa souffrance, avant de choisir une issue dramatique. Mais celle qui reste au centre de toutes ses préoccupations est Maria Nikolaevna, la cantatrice : très vite, Sonetchka évoque l'enquête dans laquelle elle se lance. Elle souhaite saisir le secret de cette femme, comprendre ses absences et son bonheur, ses regards rêveurs et son rayonnement. Il est question d'une liaison, de lettres portées, de coups de fil interrompus, d'homme dissimulé et entr'aperçu, de dialogues surpris, de filatures et de surveillances... La narration est alors plus rapide, donne des repères temporels plus précis, comme pour mieux souligner l'approche du drame, comme pour mieux mettre en valeur « le jour où c'est arrivé » (p. 70)...

L'ombre et la lumière

C'est par l'écriture que cette jeune fille, qui lutte toute sa vie pour sortir de l'ombre, accède d'une certaine manière à la lumière.

Sonetchka, qui vit médiocrement avec sa mère, et dont on dit qu'elle est « si laide et si gentille, [...] si petite et si vilaine » (p. 85), devient l'accompagnatrice d'une célèbre cantatrice. Dès le début, la soprano est parée d'un éclat extraordinaire : elle possède une « espèce de chaleur, d'étincelle », elle est « rayonnante de santé et de beauté » (p. 44). Dotée de cette aura hors du commun, elle est aussi placée sous les feux de la rampe : tout le monde en Russie ou en France – au gré des pérégrinations des Travine – court aux concerts que donne cette voix aux « notes aiguës stables et merveilleuses » et aux « basses profondes et claires » (p. 51).

L'accompagnatrice, elle, reste dans l'ombre du succès, comme obscurcie et consumée par le talent et la beauté de Maria. Elle, qui ne fait qu'accompagner au piano la soprano, est entourée d'un « brumeux nuage d'incertitude, d'indifférence, d'ennui » (p. 44), et se voit comme une sorte de « moucheron » (p. 108), d'« insecte de nuit frémi[ssant] dans la lumière solaire avant de devenir aveugle ou de se figer » (p. 44). Sonetchka cherchera désespérément à sortir de l'ombre, mais elle finira sa vie comme pianiste dans la salle obscure d'un cinéma de la porte Maillot...

La dualité des sentiments

La force de *L'Accompagnatrice* tient à l'intensité des sentiments qui y sont décrits. L'ambiguïté, l'ambivalence, la dualité définissent la nature des relations entre les deux femmes – la cantatrice et l'accompagnatrice. Ainsi, celle qui se présente à la fois comme un membre de la famille des Travine, comme leur servante et comme la première auditrice de Maria, nourrit-elle à son égard des sentiments contraires.

En devenant l'accompagnatrice de Maria, Sonetchka fait en quelque sorte le sacrifice d'elle-même. Elle se donne corps et âme, comme après avoir scellé un pacte : Maria, qui cherche une accompagnatrice « pour toujours » (p. 42), n'est-elle pas qualifiée de « diabolique » au moment même de leur première rencontre (p. 44), alors que Sonetchka, ensorcelée, sombre dans une douce torpeur ? La jeune fille trouve en Maria une autre mère, beaucoup plus brillante et bienveillante que la sienne, miroir de sa honte. Elle l'admire : sa beauté et sa prédisposition au bonheur la fascinent.

Mais cette subjugation presque amoureuse est rongée par l'amertume, par la jalousie puis par la haine. Maria incarne tout ce qui est interdit à Sonetchka, tout ce qu'elle n'aura jamais : la richesse, la reconnaissance, la beauté, le rayonnement, mais aussi l'amour... Le désir de vengeance qu'éprouve peu à peu l'héroïne est double : elle est tout autant dévorée par une rancœur personnelle que par un profond sentiment d'injustice sociale. Les amours de Maria lui fournissent l'occasion de la vengeance. Pour sentir sa puissance, pour sortir de l'ombre, pour seulement même exister, la jeune accompagnatrice cherche à éprouver la vulnérabilité de la cantatrice : trouver la faille, le point faible de cet être fort. Le secret percé de Maria met Sonetchka devant un dilemme : « trahir » celle qu'elle accompagne et qui l'a recueillie, en révélant ses amours cachées, ou la « protéger », en faisant disparaître l'obstacle à son bonheur... Le drame de Sonetchka est que l'intrigue se dénoue sans elle, la niant et la laissant à nouveau dans l'ombre, seule et abandonnée, sans même le souvenir d'une action d'éclat pour « illuminer » sa vie.

La douce amertume de la fin

L'Accompagnatrice donne la parole à une victime, voix émouvante de la solitude : cette parole est une sorte d'hommage à toutes les personnes vivant dans l'ombre des grands, comme une réponse à la dette évoquée dans les dernières lignes du roman. Alors que le personnage de Maria se perd dans les lointains horizons de l'Amérique, la voix de Sonetchka continue sa petite musique et semble résonner même après sa mort.

À travers ce récit, Nina Berberova offre une vision sombre des rapports humains et de la vie elle-même. Toutefois, tout en peignant le tableau d'un monde injuste, elle n'incite pas à la résignation mais à l'acceptation des inégalités : « Il y a des gens comme ça. Ils ont en eux une espèce de magnificence. [...] un être heureux, il vit comme au-dessus de tous les autres (et les écrase un peu, bien entendu). Et cela, on n'a même pas à le lui pardonner, parce qu'il l'a comme on a la santé, ou la beauté » (p. 103-104).

Alors, dans la triste histoire de Sonetchka, la seule échappatoire, le seul « miracle » est celui de la musique et du chant, « cette chose immortelle et indiscutable qui serre le cœur et fait que le rêve d'avoir des ailes devient réalité pour l'être humain débarrassé soudain de toute sa pesanteur » (p. 50).

CHRONOLOGIE

1901 1993

- Repères historiques et culturels
- Vie et œuvre de l'auteur

Repères historiques et culturels

1894 Monarchie impériale autocratique[1] du tsar Nicolas II qui succède à Alexandre III.

1904 *La Cerisaie*, drame de Tchekhov.

1904-1905 Guerre russo-japonaise.

1905 En janvier, à Saint-Pétersbourg, à l'annonce de la capitulation de la Russie, une manifestation pacifique est réprimée dans le sang ; c'est le « Dimanche rouge ».
Violente crise politique : actions des révolutionnaires, menés par Lénine et Trotski, contre le régime tsariste. De nombreux opposants au tsar de diverses tendances politiques se réfugient en France.

1908 *Je ne peux plus me taire* de Tolstoï, pamphlet contre la répression et les pogroms[2] qui suivent la guerre civile de 1905.

1914-1918 Première Guerre mondiale. Le 1er août, l'Allemagne déclare la guerre à la Russie.

1917 Révolution de février : soulèvement populaire à Petrograd (Saint-Pétersbourg). Nicolas II abdique. Fin de la dynastie des Romanov. Constitution d'un gouvernement provisoire.
Révolution d'octobre : insurrection à Petrograd ; le palais d'Hiver est pris d'assaut. Le gouvernement provisoire doit démissionner : les bolcheviks, sous la présidence de Lénine, prennent le pouvoir.

---

1. ***Autocratique*** : synonyme d'absolue.
2. ***Pogroms*** : émeutes accompagnées de pillages et de meurtres, le plus souvent contre une communauté ethnique ou religieuse.

Vie et œuvre de l'auteur

1901 Naissance de Nina Berberova à Saint-Pétersbourg.

1914 *Été* : voyage en Europe avec ses parents (Berlin, Paris, Londres, Genève...).

1915 Rencontre marquante avec deux grands poètes russes, Blok et Akhmatova.

Repères historiques et culturels

1918 La Russie est proclamée République socialiste fédérative soviétique (RSFS).
Création de l'Armée rouge. Début de la guerre civile qui oppose les communistes [1] à leurs ennemis (Russes blancs [2] tsaristes ou partisans d'un régime constitutionnel).
Importante vague de nationalisations dans l'industrie, dans les transports ferroviaires et les banques.
Traité de Brest-Litovsk : paix entre l'Allemagne et la Russie soviétique.

1919 Traité de Versailles : fin de la Première Guerre mondiale.
Dans la RSFS de Russie, création des goulags, camps de travaux forcés regroupant condamnés de droit commun et contre-révolutionnaires.

1920-1921 Lénine instaure une « nouvelle politique économique » (NEP), qui doit redresser un pays ruiné. Terrible famine dans tout le pays. De nombreux Russes blancs fuient sous la pression de l'Armée rouge. Fin de la guerre civile : l'Armée blanche, antirévolutionnaire, est définitivement battue par l'Armée rouge.

1922 Création de l'URSS, née de la réunion de la RSFS de Russie avec l'Ukraine, la Biélorussie et la Transcaucasie.
Expulsion massive de l'intelligentsia [3] et début des répressions systématiques.

---

1. En 1918, le terme « bolcheviks » (qui désignait les partisans – majoritaires chez les révolutionnaires – de la doctrine de Lénine, par opposition aux « mencheviks ») est remplacé par celui de « communistes ».

2. On désigne par l'expression « Russes blancs » les non-communistes, par opposition aux révolutionnaires qualifiés de « rouges ».

3. ***Intelligentsia*** : mot russe qui désigne la classe des intellectuels, notamment sous la Russie tsariste.

Vie et œuvre de l'auteur

1918

Fin des études secondaires à Petrograd.

1919-1920

Études supérieures de lettres et d'histoire à Rostov-sur-le-Don, ville du sud-ouest de la Russie.

1921

Retour à Petrograd.
Nina Berberova participe à un séminaire de poésie animé par Goumilev, grand poète russe et premier mari d'Anna Akhmatova.

1922

Première poésie dans un recueil paru à Petrograd intitulé *Les Pirates*.
Départ de Russie avec Khodassevitch, grand poète et critique littéraire. Arrivée à Berlin, puis à Prague.

Repères historiques et culturels

1924 Mort de Lénine. Guerre de succession du pouvoir qui oppose Staline et Trotski.

1927 Staline à la tête de l'URSS. Élimination de toute forme d'opposition.

1934-1938 Grandes purges [1] menées contre les opposants au régime.

1936 Mort de Gorki.

1. ***Purges*** : éliminations autoritaires d'individus politiquement indésirables.

Vie et œuvre de l'auteur

1924-1925 Long séjour avec Khodassevitch chez Gorki à Sorrente, en Italie.
Arrivée du couple à Paris. Débuts d'une vie matériellement difficile mais intellectuellement riche.

1926 *Pommes*, récit publié dans la revue *Zveno* (*Le Chaînon*), supplément littéraire des *Dernières Nouvelles*, quotidien libéral et démocratique de l'émigration russe en France, qui parut de 1920 à 1930.
Nina Berberova participe à la création de la revue *Novy Dom* (*La Nouvelle Demeure*).

1927 *Ces dames*, récit publié dans la revue *Zveno*.

1928 *Zoïa Andrevna*, récit publié dans *Annales contemporaines*, importante revue politique, culturelle et littéraire russe destinée aux exilés.

1930 *Les Derniers et les Premiers*, premier roman paru dans les *Annales contemporaines*.
Début de la parution des *Chroniques de Billancourt* dans la revue *Aux dernières nouvelles*.

1932 Séparation d'avec Khodassevitch.
La Souveraine, roman publié dans les *Annales contemporaines*.

1935 *L'Accompagnatrice* paraît dans les *Annales contemporaines*.

1936 Tchaïkovski, biographie romancée du compositeur russe, paraît à Paris et à Berlin ; écriture du récit *Roquenval, Chronique d'un château*. Nina Berberova épouse Makeiev, homme politique, peintre, journaliste et écrivain russe.

Repères historiques et culturels

1939	Pacte d'amitié et de non-agression germano-soviétique. Guerre russo-finnoise. Début de la Seconde Guerre mondiale.
1941	*22 juin* : invasion de l'URSS par les troupes allemandes.
1943	Bataille de Stalingrad (Volgograd) : début de la victoire de l'Armée rouge sur la Wehrmacht.
1945	*8 mai* : fin de la guerre en Europe.
1946-1947	Début de la guerre froide : tensions entre l'URSS et les États-Unis.
1953	Mort de Staline.

Vie et œuvre de l'auteur

1937 *Le Laquais et la Putain*, roman publié dans les *Annales contemporaines*.

1938 *Borodine*, biographie romancée du compositeur russe. *Madame*, comédie ; *Sans déclin*, roman.

1939 Installation dans les Yvelines, où, avec son mari, elle reçoit l'intelligentsia en exil.
Astachev à Paris, nouvelle publiée dans les *Annales contemporaines*.
Mort de Khodassevitch.

1947 Nina Berberova quitte Makeiev. Elle passe l'été en Suède. Écrit en français *Alexandre Blok et son temps* et publie *La Résurrection de Mozart* dans le *Novy Journal* (*Nouvelle Revue*), revue littéraire et culturelle de New York qui poursuit l'œuvre des *Annales contemporaines* en faisant paraître de nombreux textes interdits en URSS.

1947-1950 Nina Berberova habite Paris et travaille pour *La Pensée russe* – hebdomadaire russe réalisé à Paris.

1950-1951 Elle quitte la France et émigre aux États-Unis, où elle enchaîne sept professions en sept ans. *Le Cap des Tempêtes*, roman, paraît dans le *Novy Journal*, et un article intitulé « V. Khodassevitch, poète russe, 1886-1939 » dans la revue *Grani*.

1953 « Fragments de souvenirs pétersbourgeois », parus dans le premier numéro de la revue *Optyty* (*Essais*), journal littéraire publié à New York et consacré à la critique et à l'histoire de la littérature russe de l'émigration.

Repères historiques et culturels

1954 Création du KGB, police politique chargée de défendre le régime contre ses ennemis à l'intérieur comme à l'extérieur du pays.

1955 *Lolita*, roman de Nabokov, émigré aux États-Unis en 1919.
Signature du pacte de Varsovie entre l'URSS et les pays communistes de l'Europe de l'Est.

1957 Parution en Occident du *Docteur Jivago* de Pasternak ; vivement critiquée, l'œuvre est interdite en URSS jusqu'en 1988 et son auteur est contraint en 1958 de refuser le prix Nobel de littérature.

1958 Khrouchtchev à la tête de l'URSS.

1962 *Une journée d'Ivan Denissovitch* de Soljenitsyne (prix Nobel de littérature en 1970), récit qui dénonce le régime stalinien à travers la description du système concentrationnaire des goulags.

1964 Brejnev à la tête de l'URSS.

Vie et œuvre de l'auteur

1954 Mariage blanc et naturalisation américaine.

1958 *Le Roseau révolté* paraît dans le *Novy Journal* et *À la mémoire de Schielmann* dans le premier numéro de la revue littéraire *Mosty*. Elle devient professeur de littérature russe à l'université de Yale, puis à l'université de Princeton.

1959 « Nabokov et sa Lolita », analyse critique publiée dans le *Novy Journal* ; *Le Mal noir*, récit paru dans le *Novy Journal*.

1960 Séjour à Paris.

1961 « Trois années de la vie de M. Gorki », article publié dans la revue *Mosty*.

1962 *La Petite Fille*, pièce de théâtre parue dans la revue *Mosty*.

1965 Séjour à Paris.

Repères historiques et culturels

1968	Printemps de Prague : invasion par les troupes du pacte de Varsovie de la Tchécoslovaquie, jugée trop réformatrice.
1982	Mort de Brejnev.
1985	Gorbatchev à la tête de l'Union soviétique. Début de la *perestroïka* (« restructuration ») de l'économie nationale et de la *glasnost* (« transparence ») dans les affaires politiques et culturelles.
1989	*9 novembre* : chute du mur de Berlin.
1991	Fin de l'URSS : indépendance de certaines républiques comme la Lituanie et la Lettonie ; onze des anciennes républiques de l'Union soviétique forment la Communauté des États indépendants (CEI). Démission de Gorbatchev ; Eltsine, leader des réformateurs, président de la Russie.

Vie et œuvre de l'auteur

1967 Extraits de *C'est moi qui souligne*, son autobiographie dans le *Novy Journal*.

1969 Parution de la version américaine de *C'est moi qui souligne* (*The Italics Are Mine*).

1971 Prend sa retraite à Princeton.

1972 Édition russe de *C'est moi qui souligne*.

1981 *Histoire de la baronne Boudberg*.

1985 Hubert Nyssen, fondateur des éditions Actes Sud, découvre Nina Berberova : le premier roman publié en français est *L'Accompagnatrice*.

1993 Mort de Nina Berberova à Philadelphie.

NOTE SUR LA PRÉSENTE ÉDITION :

Les indications [I], [II], [III], etc., figurant en début de chapitre, permettent d'identifier les différentes parties de l'œuvre et sont destinées à faciliter la lecture. Elles n'apparaissent pas dans l'édition originale.

L'Accompagnatrice

Ces Mémoires[1] *m'ont été procurés par Monsieur Z. R. Il les avait achetés à un brocanteur de la rue de la Roquette*[2] *en même temps qu'une vieille gravure représentant la ville de Pskov*[3] *en 1775 et une lampe de bronze qui avait dû marcher au pétrole, mais était maintenant munie d'un fil électrique fort correct. En achetant la gravure, Monsieur Z. R. demanda au brocanteur s'il n'avait pas autre chose de russe. « J'en ai », dit le vendeur, et il sortit de l'armoire poussiéreuse qui se trouvait dans le coin de la vieille boutique un cahier de moleskine*[4]*, de cette espèce qui, de tout temps, a servi aux personnes, jeunes de préférence, à tenir leur journal.*

Le brocanteur expliqua que, cinq ans auparavant, il avait acheté ce cahier pour cinquante centimes, en même temps que des partitions et deux ou trois livres russes (que, malheureusement, il ne put retrouver), dans un hôtel de bas étage[5] *où une Russe avait vécu et*

1. ***Mémoires*** : récit écrit qu'une personne fait des événements auxquels elle a participé ou dont elle a été témoin ; ici, synonyme d'autobiographie, de journal.

2. ***Rue de la Roquette*** : rue du XIe arrondissement de Paris qui part de la place de la Bastille et remonte vers l'Est parisien.

3. ***Pskov*** : petite ville située au nord-ouest de la Russie, non loin de Saint-Pétersbourg et de la frontière avec l'Estonie.

4. ***Moleskine*** : toile de coton enduite imitant le cuir ; renvoie ici à la couverture du cahier.

5. ***De bas étage*** : médiocre, presque misérable.

où elle est morte. Pour récupérer le prix de la chambre, la patronne de l'hôtel bazardait ses robes, son linge et d'autres objets – tout ce qui reste lorsque disparaît une femme.

Monsieur Z. R. écouta tout cela d'abord, il ouvrit le cahier ensuite. Les lignes qui lui tombèrent sous les yeux l'intéressèrent ; après avoir payé, il prit la lampe dans une main, la gravure dans l'autre, et il serra le cahier sous son bras. Rentré chez lui, il le lut jusqu'au bout et ne reconnut pas qui en était l'auteur.

Dans ces Mémoires, j'ai modifié certaines choses, parce que tout le monde peut ne pas être aussi peu avisé[1]*. Celle qui avait écrit et n'avait pas brûlé ce cahier avait vécu parmi nous, beaucoup de gens la connaissaient, l'avaient vue et entendue. Il semble que la mort l'ait prise au dépourvu. Si c'était une maladie, c'était une maladie violente et brève, pendant laquelle il fut déjà impossible de mettre de l'ordre dans les affaires quotidiennes ; si c'était un suicide – il était tellement soudain qu'il ne laissa pas à la défunte le temps de régler quelques comptes…*

Quoi qu'il en soit, elle oublia ce cahier comme le voyageur oublie un paquet en sautant du train en marche.

---

1. ***Avisé*** : informé, averti.

[I]

C'est aujourd'hui le premier anniversaire de la mort de maman. Plusieurs fois, à voix haute, j'ai prononcé ce mot : mes lèvres en avaient perdu l'habitude. C'était bizarre et agréable. C'est passé ensuite. Certaines personnes appellent « maman » leur belle-mère, d'autres désignent ainsi la mère de leur mari ; un jour, j'ai entendu un monsieur d'un certain âge appeler « petite maman » sa femme, qui était d'une dizaine d'années plus jeune que lui. Je n'ai eu qu'une seule maman et je n'en aurai jamais d'autre. Elle s'appelait Catherina Vassilievna Antonovskaya[1]. Elle avait trente-sept ans quand je suis née, et je fus son premier et unique enfant.

Elle était professeur de piano, et aucun de ses élèves ne fut au courant de ma venue au monde – on avait su seulement qu'elle avait été gravement malade durant toute une année, qu'elle était partie quelque part. Les élèves, garçons et filles, attendaient patiemment qu'elle fût de retour. Avant ma naissance, certains venaient à la maison. Après mon apparition, maman cessa de les recevoir chez elle. Elle était absente de la maison des journées entières. Une vieille bonne s'occupait de moi. L'appartement était petit, il n'y avait que deux pièces. La bonne couchait dans

---

1. L'usage russe place entre le prénom et le nom de famille le patronyme formé sur le prénom du père suivi des suffixes *-ovitch* ou *-evitch* pour les hommes et *-ovna* ou *-evna* pour les femmes.

la cuisine, maman et moi dans la chambre à coucher, et l'autre pièce était occupée par le piano, nous l'appelions la salle de piano. Nous y prenions aussi nos repas. Le jour de l'an, les élèves garçons envoyaient à maman des fleurs, les jeunes filles
25 lui faisaient cadeau de portraits de Beethoven, de masques de Liszt et de Chopin[1]. Un dimanche, dans la rue – je devais avoir neuf ans –, les deux sœurs Svetchnikov, qui terminaient leurs études au Lycée, se trouvèrent devant nous. Elles se mirent à embrasser et à serrer maman si fort que je criai de peur.

30 « Qui est-ce, mignonne Catiche[2] Vassilievna ? demandèrent les demoiselles.

– C'est ma fillette », répondit maman.

Dès ce jour, tout se sut et, en une semaine, maman perdit trois leçons ; un mois plus tard, il ne lui restait que Mitenka.

35 Il était complètement indifférent aux parents de Mitenka de savoir si maman était mariée ou non, et combien elle avait d'enfants, et de qui exactement. Mitenka était un garçon doué, on payait bien, mais il était impossible de vivre du seul Mitenka. Nous congédiâmes la bonne, nous vendîmes le piano, et sans
40 attendre davantage nous partîmes pour Pétersbourg[3]. Il se trouva là quelques relations datant du Conservatoire[4]. Là aussi on aimait maman. Lentement, avec application, elle alla vers la conquête de la vie pour elle-même et pour moi. Et dès le premier hiver elle se mit à trotter toute la journée, dans la pluie et dans le
45 gel. Moi, elle me fit entrer au Conservatoire, en classe préparatoire. À cette époque, je jouais déjà tout à fait correctement.

---

1. ***Ludwig van Beethoven*** : compositeur allemand (1770-1827), auteur notamment de nombreuses sonates et concertos pour piano ; ***Franz Liszt*** : compositeur et pianiste hongrois (1811-1886) ; ***Frédéric Chopin*** : compositeur et pianiste polonais (1810-1849), dont l'œuvre est d'inspiration romantique.
2. ***Catiche*** : diminutif affectueux de Catherina.
3. ***Saint-Pétersbourg*** : ville de Russie située au nord-ouest du pays, au bord de la Neva et du golfe de Finlande. De 1914 à 1924, elle prit le nom de Petrograd, puis de 1924 à 1991 celui de Leningrad.
4. ***Conservatoire*** : école de musique.

Il ne me venait pas à l'esprit de réfléchir à ce que maman avait éprouvé en quittant sa ville natale où, jadis, elle avait grandi, seule avec sa mère, professeur de musique elle aussi. Son père – mon grand-père – était mort de bonne heure et elles étaient toutes deux comme nous l'étions maintenant, et tout était très ressemblant, sauf qu'il n'y avait pas de honte. Quand elle eut seize ans, grand-mère l'envoya faire ses études à Pétersbourg. Elle termina ses classes au Conservatoire, revint à N., donna un concert, joua dans les soirées de bienfaisance[1], et commença, petit à petit, à s'occuper des jeunes débutants.

Je ne me demandais jamais comment elle avait vécu seule, après la mort de sa mère, comment elle approcha de la trentaine, ni ce qu'il y eut après, ni qui était mon père. Les tiroirs de son bureau n'étaient pas fermés, mais jamais il ne m'est tombé sous la main une lettre ou une photographie. Je me rappelle qu'une fois, étant toute petite, je lui demandai si j'avais un papa. Elle dit :

« Non, ma Sonetchka, nous n'avons pas de papa. Notre papa est mort. »

Elle avait bien dit « notre », et nous pleurâmes un peu ensemble.

J'appris tout à son sujet d'une façon très simple. J'avais quinze ans lorsqu'une amie de maman, professeur de français au lycée de N., vint à Pétersbourg. C'était le soir, vers six heures. Maman était sortie. J'étais allongée sur un petit canapé et je lisais Tolstoï[2]. On sonne. Des embrassades. Des exclamations. « Mais comme tu as changé ! Mais comme tu es devenue grande ! »

Nous restâmes seules assez longtemps ; c'était le soir ; la lampe était allumée, quelqu'un chantait derrière la cloison. Nous parlions, nous évoquions les années lointaines à N., mon enfance. Il

---

1. ***De bienfaisance*** : organisées pour soutenir une cause, venir en aide aux malades ou aux démunis ; synonyme ici de « caritatives ».

2. ***Léon Tolstoï*** : écrivain russe (1828-1910), auteur notamment de *La Guerre et la Paix* (1865-1869), *Anna Karénine* (1875-1877), *La Sonate à Kreutzer* (1890) et *Résurrection* (1899).

arriva je ne sais comment qu'elle me raconta que mon père était un ancien élève de maman et qu'il n'avait, à l'époque, que dix-neuf ans. Et qu'avant lui, elle n'avait aimé personne. Maintenant, il était marié et avait déjà des enfants. Je ne demandai ni son prénom
80 ni son nom de famille.

Maman rentra. Elle avait maintenant plus de cinquante ans, elle était petite et blanche, comme le sont, il est vrai, la plupart des mamans. Des taches brunes apparaissaient sur ses mains, on ne sait pourquoi. Je ne comprenais pas moi-même ce qui m'arrivait.
85 J'avais pitié d'elle, tellement pitié que j'avais envie de me coucher et de pleurer, et de ne pas me relever jusqu'à ce que toute mon âme se vide en sanglots. Je me sentais perdre la tête en pensant à l'outrageur [1] : s'il était venu, je me serais jetée sur lui, je lui aurais crevé les yeux, je l'aurais mordu au visage. Mais en plus de cela, j'avais
90 honte. Je compris que maman était ma honte, de même que j'étais la sienne. Et que toute notre vie était une irréparable « honte ».

Mais cela se passa. Au Conservatoire, jamais personne ne me questionna sur mon père – il est vrai que je ne me liai intimement avec personne. C'était la guerre [2]. Je devins adulte. Peu à peu, je
95 m'accoutumais à l'idée qu'il me faudrait, dans la vie, choisir une voie laborieuse [3] – quant au métier, j'en avais déjà un.

J'ai qualifié mon père d'« outrageur ». Plus tard, je compris que ce n'était pas cela. Il avait dix-neuf ans. Pour lui, ma mère n'était qu'une étape vers la maturité définitive. Il ne soupçonna
100 sans doute même pas qu'à son âge elle était vierge. Mais elle ? Avec combien de passion, et combien de désespoir malgré l'intimité, devait-elle l'aimer pour avoir accepté une liaison avec un homme qui aurait pu être son fils, et pour engendrer une fille de

---

1. ***Outrageur*** : celui qui offense, qui insulte quelqu'un.
2. La Russie entre en guerre contre l'Allemagne le 1er août 1914 (voir chronologie, p. 16). En 1918, le traité de Brest-Litovsk signe la paix entre les deux pays.
3. ***Laborieuse*** : difficile, qui nécessite beaucoup d'efforts, de travail.

cette liaison – brève et unique dans sa vie. Et que lui restait-il, de
105 tout cela, dans la mémoire et dans le cœur ?

Et puis ce fut la révolution [1]. Pour chacun, l'autre existence se terminա à un moment différent. Pour l'un, lorsque à Sébastopol [2] il monta à bord d'un bateau. Pour un autre, quand les soldats de Boudenny [3] entrèrent dans une bourgade des steppes [4]. Pour
110 moi – au milieu de l'existence paisible de Pétersbourg. Il n'y avait pas de cours au Conservatoire. Mitenka, qui traînait à Pétersbourg depuis un mois déjà (il était venu étudier la composition), arriva chez nous le 25 octobre [5] dès le matin. Maman avait la grippe. Mitenka joua du piano, puis nous déjeunâmes,
115 puis Mitenka s'endormit. Oh, comme je me souviens de cette journée ! Je ne sais pourquoi, je n'en finissais pas de coudre quelque chose. Le soir nous jouâmes aux cartes tous les trois. Et je me souviens même que pour le dîner il y avait du bœuf aux choux.

120 Mitenka – fils de riches négociants de N. – était le seul élève de maman conservé, pour ainsi dire, depuis le temps de la « honte ». C'était un jeune homme flegmatique [6], de trois ans mon aîné, complètement indifférent à l'existence en général et à soi-même en

1. Allusion aux révolutions de 1917 – de février puis d'octobre –, qui aboutissent à la chute du tsar Nicolas II et à l'instauration d'une République socialiste (voir chronologie, p. 16 et 18).

2. ***Sébastopol*** : port de Crimée en Ukraine, région située au sud-ouest de la Russie, au bord de la mer Noire, face à la Turquie.

3. ***Boudenny*** : maréchal soviétique (1883-1973).

4. ***Steppes*** : grandes prairies incultes couvertes d'herbe rase présentes dans des régions de climat continental ou tropical.

5. Le 25 octobre 1917 (le 7 novembre dans le calendrier occidental), les formations révolutionnaires de Petrograd poussent le gouvernement provisoire (mis en place après la chute du tsar Nicolas II, en février), retranché dans le palais d'Hiver, à démissionner. Le 26 octobre, on annonce que le pouvoir est aux mains des bolcheviks, dont le leader, Lénine, déclare : « Nous passons maintenant à l'édification de l'ordre socialiste. »

6. ***Flegmatique*** : qui a un caractère lent et calme, qui contrôle facilement ses émotions.

particulier. Il avait des bizarreries : il était distrait et somnolent [1],
125 les précepteurs [2] avaient eu du mal à lui inculquer [3] des habitudes de propreté. Ce n'était pas qu'il fût attaché à la musique – il était plutôt le véhicule d'une espèce de sons désordonnés qui, à travers lui, s'arrachaient au néant pour devenir réalité. Entré en classe de composition [4], il étonna tout le monde par ses idées avancées,
130 révolutionnaires. Mais dans la conversation il se montrait incapable, ne pouvait ni expliquer quoi que ce soit, ni défendre ses vues. Maman se désespérait de plus en plus de ces cacophonies [5] qui prenaient possession de lui, obtuses [6] et effrayantes.

Moi, il m'était indifférent. Pendant cet automne, après tant
135 d'années de séparation avec N., je le vis, à vrai dire, pour la première fois. Il avait vingt ans. Il n'était pas beau, sa barbe poussait, qu'il ne rasait pas toujours ; mais les cheveux commençaient déjà à s'éclaircir. De plus, il portait un grand lorgnon [7] cerclé d'argent, parlait du nez, et quand il écoutait, reniflait très
140 fort. Mais il aimait beaucoup maman. Il s'excusait de ses chorals [8] sur les paroles de Khlebnikov et disait qu'un temps viendrait où il n'y aurait plus rien – ni routes, ni ponts, ni canalisations –, rien que de la musique.

Mes relations du Conservatoire qui venaient chez nous
145 tenaient Mitenka pour un crétin, mais personne ne mettait son génie en doute. Moi, je n'avais besoin ni de ses chorals ni de sa

---

1. ***Somnolent*** : qui semble presque dormir ; contraire d'énergique, de dynamique.
2. ***Précepteurs*** : personnes chargées de l'éducation d'un enfant qui ne fréquente pas d'établissement scolaire.
3. ***Inculquer*** : enseigner, apprendre.
4. ***Classe de composition*** : cours de composition, c'est-à-dire d'écriture musicale.
5. ***Cacophonies*** : mélanges confus et désagréables de sons.
6. ***Obtuses*** : qui manquent de finesse.
7. ***Lorgnon*** : verre correcteur sans branche ; monocle.
8. ***Chorals*** : compositions pour orgue ou clavecin, ici écrites pour accompagner les textes chantés du poète russe avant-gardiste Khlebnikov (1885-1922).

gentillesse. J'étais préoccupée par les événements, j'étais préoccupée par l'avenir, j'étais préoccupée surtout par un certain Evguéni Ivanovitch, employé au secrétariat du Conservatoire, parti pour
150 Moscou, et avec qui, un mois auparavant j'avais eu la conversation suivante :

Lui : « Êtes-vous perspicace [1] ? »

Moi : « Je pense que oui. »

« Il y a une chose que je voudrais vous dire, mais je ne peux
155 pas. Il faut que vous deviniez.

– Bon. »

Mon cœur battait.

« Maintenant, répondez : oui ou non ?

– Oui... »

160 Cependant, ce n'est pas à Evguéni Ivanovitch, mais à ce même Mitenka, pâle et simplet, que fut imparti d'imprimer un tournant à mon existence. Evguéni Ivanovitch partit pour Moscou et ne revint plus. Il ne justifia pas mes espérances quant à mon mariage avec lui. Pendant cet hiver, quand je me remémorais notre conver-
165 sation, quand j'espérais encore qu'il écrirait, qu'il reviendrait, je me mettais à croire, par moments, qu'il ne m'avait point fait de déclaration d'amour, qu'il avait en vue quelque chose de tout à fait différent : de me demander, par exemple, de lui prêter un peu d'argent, ou de transmettre ses salutations à quelqu'un dont il
170 était, peut-être, amoureux. Mais n'y pensons plus ! Considérons une rencontre qui me devint « fatale ». Pendant l'hiver 1919, Mitenka me mit en relation avec Maria Nikolaevna Travina.

1. ***Perspicace*** : intelligente, sagace, clairvoyante, capable de comprendre ou de deviner ce qui échappe à la plupart des gens.

[II]

J'avais dix-huit ans. J'avais terminé mes études au Conservatoire. Je n'étais ni intelligente ni belle ; je n'avais pas de robes coûteuses, pas de talent sortant de l'ordinaire. Bref, je ne représentais rien. La famine[1] commençait. Les rêves que maman avait faits de me voir donner des leçons ne se réalisaient pas ; maintenant, il y avait à peine assez de leçons pour elle. Moi, il m'arrivait de tomber sur un travail occasionnel dans quelque soirée musicale, dans des usines et des clubs. Je me rappelle que, plusieurs fois, pour du savon et du saindoux[2], j'étais allée jouer de la musique de danse, des nuits entières, quelque part dans le port. Vint ensuite un travail régulier – tous les samedis – pour du pain et du sucre, dans un club de cheminots, près des ateliers Nikolaïev. Je jouais d'abord *L'Internationale*[3], puis du Bach, puis du Rimsky-Korsakov[4], puis du Beethoven, puis les « chorals » de Mitenka (qui devenaient alors à la mode). Mais je ne pouvais vivre du seul travail du samedi. Et je trouvai un chanteur qui avait besoin d'une accompagnatrice[5] – cela me prit trois heures par jour –, le chemin était long, il n'y avait pas de tramways. Le temps qu'il me fasse inscrire sur les registres

---

1. La Russie, déjà très affaiblie par la Première Guerre mondiale, connaît, après la révolution d'octobre 1917, la guerre civile et une famine redoutable.

2. ***Saindoux*** : graisse de porc fondue.

3. ***L'Internationale*** : chant révolutionnaire des travailleurs composé en 1871, qui devint l'hymne national soviétique jusqu'à la Seconde Guerre mondiale.

4. ***Jean-Sébastien Bach*** : compositeur allemand (1685-1750) ; ***Nikolaï Rimsky-Korsakov*** : compositeur russe (1844-1908).

5. ***Accompagnatrice*** : personne qui accompagne au piano un chanteur ou un musicien.

20 administratifs pour toucher les rations[1], deux mois s'étaient écoulés. Enfin, cela aussi s'arrangea.

Le chanteur était un baryton[2] assez connu autrefois. À présent, il approchait des soixante-dix ans, il sentait le tabac gris et la cave, ses mains étaient noires d'avoir fendu le bois et travaillé à la cuisine. Il 25 maigrissait tellement que, de mois en mois, ses vêtements pendaient plus bas, aux genoux et aux coudes ils devenaient plus clairs, leurs boutons se détachaient. Il ne se lavait jamais, se rasait de temps en temps le menton et la lèvre, et alors il se mettait tellement de talc[3] qu'il saupoudrait tout autour de lui. Et j'avais l'impression que c'était 30 le crépi qui tombait de lui comme d'un mur vétuste et croulant, et qu'il sentait non pas la cave, mais tout simplement la terre humide.

« Sonetchka, me disait-il, pourquoi donc êtes-vous si mince ? On n'arrive à rien avec sa jeunesse seulement. Il faut avoir des formes, des formes ! Et vous, vous avez une patte de poulet, une 35 gambette[4] de chèvre, une poitrine de chat. Qu'allez-vous devenir, ma petite enfant, avec une tournure pareille ! ».

Il se désolait sincèrement pour mon avenir. Quant à moi, j'étais contente d'avoir, avec lui, appris le répertoire[5], et d'apporter à la maison des sacs de provisions... Un jour, en hiver, il prit 40 froid et s'alita. Immédiatement, tout, dans son appartement, tomba en décrépitude : les conduites d'eau gelèrent, il fit deux degrés dans la chambre, des cordes du piano sautèrent, il n'y eut plus de pétrole. Le syndicat[6] envoya un médecin. Je continuai à

---

1. ***Rations*** : quantités d'aliments attribuées à une personne pour une journée par les autorités en temps de guerre, de famine.

2. ***Baryton*** : voix d'homme intermédiaire entre le ténor – la plus élevée des voix masculines – et la basse.

3. ***Talc*** : poudre blanche qui matifie la peau.

4. ***Gambette*** : jambe (familier).

5. ***Répertoire*** : en musique, désigne l'ensemble des œuvres maîtresses d'un chanteur ou d'un musicien.

6. ***Le syndicat*** : dès les premiers moments de la révolution, des syndicats avaient été créés pour les écrivains, les peintres et autres créateurs. Ceux-ci apportaient aide et soutien.

venir tous les jours. Des amis, des dames se manifestèrent. De la
45 semoule de blé apparut. On m'envoyait chez les voisins chercher
du sel, je courais au centre distributeur pour avoir de la marmelade. Puis tout fut terminé : il mourut sur ses draps sales, sur sa
taie d'oreiller déchirée, et il y eut beaucoup de tracas avec son
enterrement ; durs étaient ces soins à donner au mort.

50 Je restai sans travail ; mes bottes étaient taillées dans un tapis,
ma robe dans une nappe, la pelisse[1] dans la cape de maman et le
chapeau dans un coussin brodé d'or. Je pouvais vivre, mais je
pouvais aussi mourir, tout m'était, de quelque façon, indifférent.
Maman me dévisageait avec curiosité et tristesse. Mitenka souf-
55 flait du nez et restait tard, me regardant ravauder[2], prendre le thé,
jouer du piano ou lire sans lui prêter attention. Un soir, il vint,
l'air quelque peu recueilli : Maria Nikolaevna Travina cherchait
une accompagnatrice, et cela non pas à titre provisoire, mais pour
toujours, pour partir, à l'étranger peut-être.

60 Mitenka était recueilli parce que, d'abord, il cherchait à exposer, d'une façon sensée et cohérente, les conditions du travail et
que cela, comme tout ce qui était quotidien, lui était un peu difficile. Et puis, il avait de la peine, il avait de la peine de me voir
quitter maman et lui-même ; il n'aimait aucun changement dans
65 l'existence.

Maman fut d'abord désemparée. Elle n'avait jamais quitté sa
mère, mais sa vie fut malheureuse. Peut-être valait-il mieux pour
moi devenir non pas professeur de piano, mais accompagnatrice,
m'arracher à elle, vivre à ma manière ? Je la regardai. C'était déjà
70 une vieille femme, devenue, ces dernières années, petite et maigre,
les yeux comme éteints et les cheveux gris, et qui, parfois, ne
trouvait plus les mots dont elle avait besoin. Elle ne pouvait pas
me servir de conseillère, d'appui. Je me regardai du dehors – je ne
pouvais en rien l'aider, autrefois j'étais un obstacle dans sa vie, et

1. ***Pelisse*** : ici, synonyme de manteau.
2. ***Ravauder*** : raccommoder, rapiécer.

75 maintenant, je n'étais pas une consolation. Quelque chose me disait confusément que le bonheur ne lui viendrait jamais de moi. M'aimait-elle ? Oui, elle m'aimait, mais il y avait dans cet amour une espèce de pitoyable fêlure, et quand elle m'embrassait, j'avais toujours l'impression qu'elle essayait d'effacer cette fêlure – pour 80 elle, pour moi, pour Mitenka, pour le bon Dieu, je ne sais pour qui encore.

Je me taisais. Mitenka était assis les mains étalées sur la table et traînait avec ses explications : on me proposait un emploi, un emploi stable, avec un salaire, avec un dîner ; on m'emmènerait à 85 Moscou, en province, je vivrais comme si j'étais « de la famille ».

« Comme femme de chambre ? Comme dame de compagnie ? » demandai-je tout à coup avec une curiosité rageuse.

Mitenka se mit même à rire, maman sourit aussi. Il fallait se réjouir, or il n'y avait pas de joie. Mais les pendules aussi marchent 90 sans joie, et la pluie tombe sans joie et cependant quelle stabilité… Comme il est beau, l'univers de Dieu, et comme tout y est organisé avec justesse !

Et me voilà, ayant mis mes bottes de tapis et tout mon habillement de mascarade[1] particulier à cette époque, et dans lequel je 95 ressemblais à un adolescent décoloré, fané, d'une tribu asiatique et nomade –, me voilà partie chez Maria Nikolaevna Travina.

Pétersbourg. Année mil neuf cent dix-neuf. Les grands tas de neige. Le silence. Le froid et la faim. Le ventre gonflé de gruau d'orge[2]. Les pieds qu'on n'a pas lavés depuis un mois. Les fenêtres 100 bouchées avec des chiffons. La suie[3] liquide des poêles[4]. J'entre dans l'immeuble. Un immense immeuble sur la Fourchtadskaya. L'ascenseur suspendu entre les étages. Dedans – des immondices gelées. Une porte au deuxième étage. Je frappe. Personne. Je sonne. À mon étonnement, le timbre retentit. Une femme de

1. ***Mascarade*** : déguisement ridicule et bizarre.
2. ***Gruau d'orge*** : grains de céréale – ici l'orge –, grossièrement moulus.
3. ***Suie*** : noir de fumée mêlé d'impuretés.
4. ***Poêles*** : appareils de chauffage alimentés par du bois ou du charbon.

105 chambre – coiffe et souliers fins – ouvre la porte. Il fait chaud. Mon Dieu, il fait chaud ! Non, ce n'est pas croyable – un immense poêle en carreaux de faïence chauffe à tel point qu'on ne peut en approcher. Des tapis. Des rideaux. Des fleurs naturelles – des jacinthes bleues – dans une corbeille posée sur un guéridon [1]. Un coffret de 110 cigarettes précieuses. Un chat bleu fumée, presque aussi bleu que les jacinthes, fait le gros dos en me voyant, et une femme vêtue on ne sait pourquoi d'une robe blanche – ou d'une robe de chambre (je ne distingue pas), à moins que ce ne soit ce que l'on met sous la robe – vient vers moi en souriant, me tend une main aux ongles 115 longs et roses. Et ses bas sont rosés aussi. Des bas roses !

Elle avait dix ans de plus que moi et, bien entendu, ne le cachait pas, parce qu'elle est belle, et moi pas. Elle est grande, elle a un corps sain et robuste, qui s'est développé naturellement et librement – moi, je suis petite, sèche, d'apparence maladive bien 120 que je ne sois jamais malade. Elle a des cheveux noirs et lisses, coiffés en chignon sur la nuque – moi, j'ai les cheveux clairs, ternes, je les coupe et les fais friser tant bien que mal. Elle a le visage rond et beau, la bouche grande, le sourire d'un charme ineffable [2], les yeux noirs aux reflets verts, moi j'ai les yeux clairs, 125 le visage triangulaire aux pommettes saillantes [3], les dents petites et espacées. Elle se déplace, elle parle, elle chante d'une manière si assurée, ses mains accompagnent ses paroles et ses mouvements d'une façon si calme, si égale, elle garde en elle une espèce de chaleur, d'étincelle – divine ou diabolique –, elle a le oui et le non 130 précis. Autour de moi, je le sens, se forme parfois un brumeux nuage d'incertitude, d'indifférence, d'ennui, dans lequel je frémis comme un insecte de nuit frémit dans la lumière solaire avant de devenir aveugle ou de se figer. Et quand nous paraissions sur l'estrade [4]– elle devant, rayonnante de santé et de beauté, souriant

1. ***Guéridon*** : petite table ronde ou ovale à pied central.
2. ***Ineffable*** : qui ne peut être exprimé par des paroles.
3. ***Saillantes*** : qui ressortent ; synonyme de proéminentes.
4. ***Estrade*** : ici, synonyme de scène.

135 et saluant sans effort, sans rien de compassé[1], et moi derrière – la robe toujours légèrement fripée, moi qui étais un peu desséchée et qui saluais aussi en m'inclinant et en essayant de tenir mes mains comme ci et non comme ça, quand nous paraissions toutes les deux. « Eh bien, que veux-tu encore – me disais-je –, eh bien, que 140 veux-tu encore dans cette vie ? Régler tes comptes ? Prendre ta revanche ? Comment ? Contre qui, d'ailleurs ? Il faut filer doux, plus muette que l'eau, plus basse que l'herbe. Dans cette vie-là, on ne règle pas les comptes. Quant à la vie future, elle n'existe pas ! »

Elle m'installa dans un fauteuil, me prit les mains, puis, pour 145 que je n'aie pas trop chaud, déboutonna elle-même mon col. Ensuite elle me dit d'enlever mon manteau, sonna la femme de chambre et commanda du thé. Elle me regardait avec une attention indicible[2], il y avait dans son regard de la sollicitude[3]– de la sollicitude et de la curiosité. Au début, elle ne faisait que ques-150 tionner : quel était mon âge, comment j'étais, ce que j'aimais, serais-je d'accord pour partir avec elle, s'il le fallait ? Puis, lorsqu'on apporta le thé, elle me servit et se servit elle-même, posa sur mon assiette de minces tranches de pain blanc beurrées, recouvertes de jambon et de fromage, et se mit à parler en se détour-155 nant légèrement, pour ne pas me gêner. Et moi, je mangeais, je mangeais, je mangeais.

« Il y a longtemps que je connais de nom votre maman, Sonetchka, disait-elle. Je vais vous appeler Sonetchka, parce que vous êtes encore tout à fait petite fille, et c'est ce qui, pour être 160 franche, est la seule chose qui, peut-être, m'effraie en vous, non, elle ne m'effraie pas, mais m'inquiète un peu. N'allez-vous pas vous ennuyer avec moi ? N'aurez-vous pas envie de retourner à la maison, à Pétersbourg – c'est que nous pourrions partir loin, très loin... Vous n'imaginez sans doute même pas comme nous 165 pourrions aller loin.

---

1. ***Compassé*** : dont le comportement est affecté et guindé ; contraire de naturel.
2. ***Indicible*** : inexprimable, indescriptible.
3. ***Sollicitude*** : intérêt affectueux.

« Je travaille beaucoup. Quatre heures par jour quoi qu'il arrive, sans laisser-aller pour moi-même, donc pour vous non plus. Et puis les concerts. C'est que ce sera une véritable tournée, ma première véritable tournée, et il faut qu'elle soit réussie. »

170 Je fis un geste.

« On ne me connaît qu'à Pétersbourg, poursuivit-elle, l'ayant remarqué. Je veux davantage. Je suis très ambitieuse. Sans ambition il n'y a pas de talent ; il faut être ambitieuse, Sonetchka, et je vous apprendrai à l'être. »

175 Je tressaillis, mais cette fois elle ne remarqua rien.

Elle parlait. J'écoutais. Je comprenais que la vie pouvait nous unir pour de longues années, que cette conversation ne se reproduirait pas – cela arrive : plus les gens prennent l'habitude de vivre ensemble, plus sûrement perdent-ils le besoin de parler 180 d'eux-mêmes. Cette conversation pouvait rester unique, je le sentais, et cependant je m'endormais, je savais que j'allais m'endormir tout de suite.

Je me persuadais qu'il me fallait saisir chaque mot, que tout cela me servirait un jour, plus tard. Entre nous, une lampe basse s'illu-185 mina sous un abat-jour de soie, les rideaux aux fenêtres cachèrent un crépuscule blanc, une voix grave et tendre coulait au-dessus de moi, le parfum embaumait, mes lèvres gardaient encore le contact récent du gras de jambon, mince et frais. Mes jambes étaient devenues lourdes, je les avais posées devant moi comme des bornes et 190 les avais presque oubliées, flottant dans une douce somnolence où des ombres venaient au-devant de mes yeux fatigués, me prenaient les mains, entouraient mes épaules, posaient sur mon visage des mains impondérables [1] et tièdes et me balançaient lentement la tête, pendant que j'essayais, par un effort surnaturel, de garder 195 ouverts mes yeux ivres de chaleur et de satiété [2].

1. ***Impondérables*** : qui n'ont pas de poids ; ici, légères.
2. ***Satiété*** : état où se trouve une personne dont un besoin, un désir est amplement satisfait ; synonyme de rassasiement.

Elle parlait maintenant de ses années d'études, de son mariage, de ses récitals[1] en province pendant la guerre ; elle disait que la vie, toute la vie était encore devant elle, « et devant vous aussi, Sonetchka », ajouta-t-elle, des pays d'outre-mer où, peut-être,
200 « peu-eut-être », nous irions un jour, de Moscou, de Nejdanova[2], des romances[3] que Mitenka lui avait dédiées, et de beaucoup, beaucoup d'autres choses, jusqu'à ce qu'elle vît que je la regardais d'un œil immobile et lourd.

« Je vous ai complètement étourdie de paroles, amie chère !
205 s'écria-t-elle. Pardonnez-moi. »

Je me levai. Elle me donna des partitions, me dit de revenir le surlendemain, et m'accompagna jusqu'à la porte. Et là, en me prenant dans ses bras, elle m'embrassa sur les deux joues.

---

1. ***Récitals*** : concerts où se produit un seul artiste, musicien ou chanteur.
2. ***Antonia Nejdanova*** : célèbre chanteuse lyrique russe du début du XXe siècle.
3. ***Romances*** : chansons sentimentales.

[III]

En sortant de chez Maria Nikolaevna, je vis que la soirée était très avancée, il faisait nuit noire, il neigeait. Le vent qui glaçait mon visage humide chassa aussitôt mon envie de dormir. Ce que je venais de voir, je le voyais pour la première fois, et les paroles
5 que je venais d'entendre étaient pour moi parfaitement nouvelles. Qu'y avait-il en elles ? Rien de spécial, et, surtout, je ne m'en souvenais même pas, et je les avais à peine comprises, mais la façon dont on m'avait parlé et la personne qui, justement, m'avait parlé, étaient extraordinaires. Jamais encore dans ma vie je n'avais
10 rencontré une femme semblable – il me venait d'elle comme un souffle d'une espèce d'équilibre mystérieux, beau et triomphant.

Mais quand je pensais aux jacinthes, à la femme de chambre, à la chaleur et à la propreté, quelque chose se révoltait en moi, et je me demandais : Est-il possible que tout cela existe réellement et
15 qu'il ne se trouve rien pour en venir à bout ? Il s'est bien trouvé quelque chose pour venir à bout de maman et de moi, de mon chanteur, des milliers d'autres qui ont les doigts gelés, les dents qui s'effritent et les cheveux qui tombent – de faim, de froid, de peur et de saleté, est-il possible, camarades tchékistes [1], qu'il ne se
20 trouve rien pour avoir raison de cet appartement, de cette femme, de ce chat bleu fumée, et que personne ne fasse loger dans ce salon la famille pouilleuse de quelque ajusteur [2] qui se servirait du piano comme d'un W.-C., et elle, on l'obligerait le matin à le nettoyer,

---

1. ***Camarades tchékistes*** : les communistes, qui se nomment entre eux camarades, sont apostrophés par la narratrice qui en appelle à leur justice ; les tchékistes sont ceux qui faisaient partie entre 1917 et 1922 de la Tcheka, la police politique créée sur l'ordre de Lénine et chargée de combattre la contre-révolution, la spéculation et le sabotage de la Russie soviétique.
2. ***Ajusteur*** : ouvrier spécialisé dans le travail des métaux.

avec ses mains roses, et cela s'appellerait « service civique » ? Est-il
25 possible que tout cela demeure tel qu'il est ? Et nous autres, les loqueteux[1], les dépouillés, les affamés, les rompus, nous allons supporter tout cela ? Le fromage de Hollande, et dans le poêle la grosse bûche avec sa croûte brune, et dans la soucoupe le lait où minet va tremper sa langue ?

30 Et de ces pensées, j'avais chaud dans la poitrine, les larmes et la neige gelaient sur mon nez et sur mes joues, je les essuyais du revers de la manche et, les partitions sous le bras, je courais plus loin, sans faire de bruit avec mes bottes de tapis. Et à travers cette haine et cette amertume qui, pour la première fois dans ma vie, me
35 vinrent avec cette force, et dans lesquelles je me sentis respirer plus librement que dans ma doucereuse et fluide indifférence envers tout, je pensai soudain à elle-même, à Maria Nikolaevna Travina, qui m'avait embrassée sur les deux joues, qui m'avait regardée avec attention et tendresse. Elle m'apparaissait comme une perfec-
40 tion tellement saugrenue[2], tellement inconcevable[3], que je pleurais encore plus fort, en sanglotant, et je courais, je courais le long de la rue, ne sachant pas moi-même pourquoi je courais, ni où, ni quel besoin j'avais maintenant de notre maison, de notre chambre, de maman, ni ce que j'étais moi-même, et puis cette
45 ville – pour quoi faire ? Et qu'est-ce que la vie ? Et Dieu ? Où est-il ? Pourquoi ne nous a-t-il pas tous faits tels qu'elle il l'avait faite ?

Le lendemain, je me mis au piano dès le matin. Les partitions étaient des plus variées : il y avait des airs d'opéra, des romances de Glinka[4], et de la musique contemporaine, et des espèces de
50 vocalises[5] particulières, que je n'avais jamais entendues. Je travaillai toute la journée et le matin suivant. Le lendemain, à trois

1. ***Loqueteux*** : vêtus de vêtements usés et déchirés ; désigne, avec les termes qui suivent, les pauvres, les miséreux.
2. ***Saugrenue*** : inattendue ; synonyme de bizarre, d'étonnante.
3. ***Inconcevable*** : incompréhensible, incroyable.
4. ***Mikaël Ivanovitch Glinka*** : compositeur russe (1804-1857).
5. ***Vocalises*** : suites de sons émis par un chanteur pour se chauffer la voix.

heures, j'étais rue Fourchtadskaya. Le piano était un magnifique Blüthner[1] de concert. Maria Nikolaevna fit des vocalises pendant près d'une heure, puis je bus du thé avec de la brioche et, sur sa
55 demande, je lui jouai du Schubert[2]. Elle écouta et remercia. Pendant ce temps, le téléphone sonna deux fois dans la chambre à côté où quelqu'un répondit, mais on ne vint pas la chercher. Puis elle chanta, elle chanta…

Je sais, il y a des gens qui n'admettent pas le chant : une
60 personne prend la pose, ouvre la bouche toute grande (d'une façon naturelle – et alors c'est laid –, ou d'une façon étudiée – et alors c'est grotesque) et, tout en s'efforçant de conserver sur le visage une expression d'aisance, d'inspiration et de pudeur, crie (ou rugit) longuement des paroles dont l'agencement n'est pas
65 toujours réussi et qui sont, parfois, accélérées sans aucune raison, ou bien découpées en morceaux, comme pour une charade, ou encore répétées plusieurs fois de façon inepte[3].

Mais lorsque, après une aspiration (nullement affectée, mais aussi simple que lorsque nous aspirons l'air des montagnes à la
70 fenêtre d'un wagon), elle entrouvrit ses lèvres fortes et belles, et qu'un son fort et puissant, plein jusqu'aux bords, retentit soudain au-dessus de moi, je compris tout à coup que c'était justement cette chose immortelle et indiscutable qui serre le cœur et fait que le rêve d'avoir des ailes devient réalité pour l'être humain débarrassé sou-
75 dain de toute sa pesanteur. Une espèce de joie dans les larmes me saisit. Mes doigts frémirent, égarés parmi les touches noires ; craignant de la décevoir, dans les débuts, quant à mon application, je comptais en moi-même, mais je sentais qu'un spasme[4] parcourait ma colonne vertébrale. C'était un soprano dramatique[5], avec les

1. ***Blüthner*** : célèbre marque de pianos ; par métonymie, désigne le piano luimême.
2. ***Franz Schubert*** : compositeur autrichien (1797-1828).
3. ***Inepte*** : tout à fait absurde ou stupide.
4. ***Spasme*** : contraction brusque, d'un muscle le plus souvent.
5. ***Soprano dramatique*** : personne à voix brillante, de grande étendue.

80 notes aiguës stables et merveilleuses, et les basses profondes et claires.

« Encore une fois, Sonetchka », dit-elle, et nous répétâmes l'air.

Je ne me rappelle pas ce que c'était. Je crois que c'était l'air d'Élisabeth de *Tannhäuser*[1].

85 Puis elle se reposa cinq minutes, caressa le chat, but une demi-tasse de thé refroidi, me fit raconter N., mon enfance. Mais je n'avais rien à raconter. Mitenka, peut-être ? Oh, non ! Surtout pas Mitenka. Dieu merci, elle le connaît bien, son mari est le cousin germain de la mère de Mitenka. Pour avoir du talent, il en a, mais 90 il lui arrive de ne pas pouvoir se rappeler son propre nom.

Et de nouveau elle chanta, et moi, avec application, mais encore avec prudence et timidité, je l'accompagnais dans ce miracle qui rappelait l'envol et le vol, et il y avait des moments où, de nouveau, une aiguille entrait dans mon cœur et me trans- 95 perçait tout entière. Plusieurs fois, elle s'interrompit, me donna des indications, me demanda de recommencer. Elle m'observait, elle m'écoutait. Était-elle contente de moi ?

À six heures et demie, la sonnette retentit avec force.

« Attendez, me dit Maria Nikolaevna. C'est pour moi. » Elle 100 alla dans l'entrée et je l'entendis ouvrir elle-même la porte.

« J'ai appelé deux fois, dit une forte voix d'homme, mais on m'a déclaré que vous étiez occupée et ne pouviez répondre. Qu'est-ce que cela veut dire ? Est-il tellement difficile de répondre au téléphone ?

105 – Doucement, doucement, Senia, répondit-elle, j'ai ma leçon, ma répétition. J'ai l'accompagnatrice.

– Au diable tout le monde ! Je t'ai appelée pour t'emmener en promenade. La voiture est en bas. Je la voulais pour quatre heures, mais j'ai été retenu, à cinq heures il n'y avait pas de chauffeur. Je 110 viens seulement de m'en sortir.

1. ***Tannhäuser*** : opéra en trois actes du compositeur allemand Richard Wagner (1813-1883), dont Élisabeth est l'une des héroïnes.

– Il va être sept heures. Où veux-tu aller ? Pavel Fédorovitch va rentrer d'un instant à l'autre. »

L'homme avait dû vouloir répondre, mais je sentis qu'elle lui mettait la main sur la bouche. On chuchotait. Puis tout devint
115 silencieux. Maria Nikolaevna revint au salon.

Et en effet, un quart d'heure à peine s'était écoulé lorsque Pavel Fédorovitch revint à la maison.

« Mon mari, dit Maria Nikolaevna en se levant pour l'accueillir. Sonetchka Antonovskaya. »

120 Et nous nous serrâmes la main.

J'eus à peine le temps de penser que, voilà, je venais de faire connaissance d'un homme et que, déjà, j'avais un secret qu'il ne connaissait pas, que j'étais complice de quelqu'un contre lui, lorsque Maria Nikolaevna dit, en se retirant près de la fenêtre :

125 « Senia vient de passer. Il voulait m'emmener faire une promenade. Et il m'a dit des impertinences [1] parce que je n'avais pas répondu au téléphone quand il avait appelé. Un baril de poudre !

– Et pourquoi n'y es-tu pas allée ? Dehors, il y a plein de neige, une merveille. »

130 Elle ne répondit pas. Je restais debout, regardant par terre. Pavel Fédorovitch prit le siège le plus rapproché. Il portait des bottes militaires. Je levai la tête. Il était vêtu d'une vareuse [2] militaire, il portait la barbe, les cheveux plus longs que ne le permettait l'usage – non pas à la manière « artiste », mais plutôt à la
135 façon des « koupetz [3] », et son physique était des plus ordinaires, un peu trivial [4]. Il paraissait âgé de quarante-cinq ans environ.

Nous dînâmes tous les trois. Je tâchais de ne pas manger avec trop d'avidité, et cependant, par manque d'habitude je devins si lourde

---

1. ***Impertinences*** : paroles déplacées ou impolies.

2. ***Vareuse*** : veste de certains uniformes.

3. ***Koupetz*** : membres de la classe des marchands (*koupetchestvo*, en russe) qui, au XIXe siècle, se caractérisaient par des coutumes et des façons particulières de se vêtir et de se coiffer.

4. ***Trivial*** : ici, grossier.

vers la fin du dîner qu'il m'était difficile de demeurer maîtresse de
140 moi-même. La femme de chambre présentait les plats d'abord à Maria Nikolaevna, à moi ensuite, à Pavel Fédorovitch après. Dans l'immense salle à manger, je me sentais encore plus intimidée que dans le salon, auquel j'avais eu le temps de m'habituer un peu. La conversation tourna presque tout le temps autour de moi. Après
145 avoir bu un verre de vin rouge je devins insensiblement éméchée ; dans la glace du buffet, que mon regard atteignait par moments, je me voyais rouge et comme bouffie. « C'est parce qu'elle n'est pas encore sûre de moi, justement, qu'elle lui a dit que l'autre est venu. » Et je ris mal à propos. « Il faut gagner sa confiance. »

150 « Pour quoi faire ? Pour trahir ensuite ? » Je laissai tomber la cuillère dans l'assiette, et la compote éclaboussa la nappe. « Il faut obtenir, mériter... Afin de la préserver de quelque malheur, plus tard, quand il faudra, sans se manifester ; afin de la sauver tout à coup, de la servir en esclave, au point qu'elle ne saurait même
155 pas que c'est moi... Il faut devenir indispensable, irremplaçable, dévouée jusqu'au bout, sans pitié pour soi... Ou bien la trahir un jour, la trahir, elle avec toute sa beauté et sa voix, pour lui prouver qu'il y a des choses plus puissantes qu'elle-même, qu'il y a des choses qui peuvent la faire pleurer, qu'il y a une limite à son
160 invulnérabilité. »

J'étais un peu ivre. Elle souriait à mon visage rouge, à mes yeux brillants, elle parlait de mon défunt chanteur, qu'elle avait connu, et pour qui il se trouvait qu'elle avait eu un faible étant fillette.

« Non, vous ne pouvez pas vous imaginer, Sonetchka, comme
165 il était magnifique une fois qu'il avait mis sa culotte paille pour le deuxième acte d'*Onéguine*[1]... Mais il commença à perdre la voix très tôt ; il buvait comme un Suédois.

– Avant sa mort, la Pétrocommune lui avait envoyé des céréales », dis-je.

---

1. ***Eugène Onéguine*** : opéra de Tchaïkovski, compositeur russe (1840-1893).

Après le dîner, ils s'apprêtèrent à sortir, et je pris congé. Mais avant de me laisser partir, Maria Nikolaevna me retint au salon.

« À demain, dit-elle. Il fait bon, très bon travailler avec vous. Je pense que vous avez un véritable talent pour l'accompagnement – c'est une chose très rare. Vous avez joué du Schubert, ça, il ne faut pas le faire, ce n'est pas pour vous. Mais pour moi ce sera merveilleux de travailler avec vous, je le sens. Et vous ? Cela vous plaît-il ? »

Je murmurai à peine quelques mots.

« Eh bien, au revoir. Il faut que j'aille me changer. Sonetchka, pourriez-vous me poster une lettre ? Ne la mettez pas dans la boîte qui est au coin, il y a bien un an qu'on ne l'a pas vidée, mettez-la dans celle qui est sur la Liteïnaia, sur votre gauche.

– Bien, Maria Nikolaevna. »

Alors je m'aperçus que nous étions seules, que Pavel Fédorovitch n'était pas dans la pièce.

Elle me donna une enveloppe bleue et raide, et je partis. Il faisait nuit dans l'escalier, et je parvins à tâtons jusqu'en bas, manquant glisser sur les marches gelées. Dans la rue aussi c'étaient les ténèbres complètes, la neige scintillait d'elle-même, il n'y avait ni réverbères ni lune. Des étoiles seulement. J'arrivai jusqu'à la Liteïnaia. Je ne pouvais déchiffrer à qui était adressée la lettre. Tout le long de la rue, à gauche comme à droite, il n'y avait pas une lumière, je ne voyais rien devant moi, je marchais tout près des murs pour ne pas buter contre un tas de neige ou une borne. Je m'arrêtai devant la boîte aux lettres. À la lumière des étoiles, j'essayai de lire l'adresse. Je décidai : si j'arrive à déchiffrer ne serait-ce que la première lettre du prénom (il devait commencer par un S), je ne jetterai pas la lettre dans la boîte, je l'emporterai à la maison, je l'ouvrirai, la lirai, et l'enverrai demain matin ; je fixai assez longtemps, mes yeux se remplirent de larmes. Enfin, je vis un « A » haut et mince. Et subitement, je lus tout, comme si, quelque part derrière moi, un éclair avait brillé : « À André Grigorievitch

Ber. Zverinskaia 15. » Je ne sais pourquoi, j'eus peur. Je jetai la lettre dans la boîte et demeurai là encore un peu, le cœur battant.

205 Deux hommes me dépassèrent, deux loqueteux ; ils portaient quelque chose de volumineux et de lourd, il me sembla que c'était une porte. Ma peur augmenta. Du côté du pont, des coups de feu éclatèrent soudain. Je me mis à courir. Je ne sais pourquoi, j'essayai de me rappeler le visage de Pavel Fédoro-
210 vitch, et je n'y arrivai pas. J'essayai de me rappeler sa voix, et ce qu'il avait dit, et je n'y arrivai pas. J'aurais voulu me demander si elle l'aimait, si lui l'aimait. Qu'était-il ? Que faisait-il ? Qu'allions-nous devenir, tous les trois, plus tard ? Je n'y arrivai pas. Elle demeurait dans mes pensées. Sa voix. Et sa façon trop libre, trop
215 assurée de traiter les gens et l'avenir. Et le fait qu'elle possédait cette façon comme un droit indiscutable, imparti[1] d'en haut et pour toujours.

---

1. ***Imparti*** : donné, accordé ici par des instances supérieures.

[IV]

Plus de deux mois s'écoulèrent, j'allais tous les jours chez les Travine, je travaillais avec Maria Nikolaevna, je dînais et quelquefois je restais le soir jouer aux dames avec Pavel Fédorovitch, mais je ne vis ni « Senia », ni « André Grigorievitch Ber », et je n'entendis pas parler d'eux. À la maison, tout allait comme par le passé, mais peu à peu je quittais mon ancienne existence. Maman, ses soucis et ses malaises me laissaient indifférente. Mitenka était en train de vivre sa première idylle avec la petite-fille de X. dont, d'après l'opinion générale, il était amoureux uniquement par inertie[1] – tellement il vénérait le grand-père, un compositeur très connu. Cependant, il ne pensait même pas à imiter X., car, dans ses « chorals », il allait de plus en plus loin, et s'apprêtait même à faire construire, pour leur exécution, un piano très particulier, à quatre claviers. Mais assez parlé de Mitenka. M'ayant introduite chez les Travine, il disparut progressivement de mon existence, et je ne le revis qu'à Paris, il y a relativement peu de temps. Mais j'en parlerai le moment venu.

Je ne connaissais pas d'autres personnes, qui seraient venues me voir, et auxquelles j'aurais été attachée par quelque chaleur humaine. D'ailleurs tout ce passé me semblait maintenant ne pas valoir un souvenir – et en effet il s'effaçait de ma mémoire. Le matin, je faisais des exercices, j'allais faire les queues[2]. Je chauffais le poêle ; après le déjeuner qui, toujours le même, consistait en gruau et hareng – je lavais la vaisselle, je me nettoyais, je mettais mon unique robe présentable et je partais.

1. ***Inertie*** : paresse, passivité.

2. Allusion aux files d'attente devant les centres de ravitaillement lors de la famine des années 1920.

Là-bas il faisait chaud. Là-bas on me donnait à manger, on me disait que la vie était une chose difficile mais amusante, quelquefois on me faisait un cadeau. Un peu distraite et ensorcelante de douceur au début, Maria Nikolaevna devenait, vers les sept heures, d'une humeur gaie et active. Quelquefois, rentré un peu plus tôt, Pavel Fédorovitch s'installait dans un coin du salon et nous écoutait. Mais le plus souvent nous nous mettions à table aussitôt qu'il était là. Au bout d'une semaine, je connaissais déjà toute leur existence, et il me semblait drôle que la curiosité et Dieu sait quels autres sentiments m'eussent tellement émue le premier jour. Pavel Fédorovitch travaillait dans l'une des administrations de ravitaillement de cette époque. Il obtenait tout ce dont il avait besoin, y compris le gibier et des pièces de musée. On ne peut pas dire qu'il « s'enrichissait » dans son emploi, simplement il jugeait inutile d'être trop scrupuleux[1], il aimait vivre commodément, délicieusement, copieusement ; deux ans auparavant il était devenu très riche, riche d'une façon même incroyable, plus riche que tous ceux que je connaissais, plus riche que les parents de Mitenka. Et maintenant, ne voulant rien savoir, il désirait vivre dans le bien-être sinon dans l'opulence[2], et, aussi bizarre que cela paraisse, il y arrivait. Ce qui avait surtout changé dans leur existence, c'est qu'ils avaient, tous deux, perdu peu à peu leur ancien milieu et qu'ils ne cherchaient pas à en trouver un autre. Inutile de préciser : certains avaient été fusillés, d'autres étaient en prison, beaucoup avaient fui et d'aucuns[3] avaient cessé de les fréquenter, estimant que Pavel Fédorovitch était un gredin[4]. On recevait des espèces d'acteurs, des gens de la famille, des anciens employés de Pavel Fédorovitch – mais ce n'était pas le « monde » où Maria Nikolaevna avait brillé peu de temps auparavant.

1. ***Scrupuleux*** : ici, honnête.
2. ***Opulence*** : abondance de biens, richesse.
3. ***D'aucuns*** : certains, plusieurs.
4. ***Gredin*** : personne malhonnête, méprisable, bandit, coquin.

Au début d'avril, Maria Nikolaevna me proposa de venir habiter chez eux. Ils préparaient le départ pour Moscou, l'appartement était vendu à un consul[1] de quelque pays oriental. Cette dernière semaine à Pétersbourg s'écoula pour moi comme une seule journée. On m'avait donné des robes, on m'avait donné de l'argent pour le coiffeur. Soudain, Maria Nikolaevna fit irruption dans ma vie par l'autre bout : il n'y avait pas de chose sur laquelle elle ne m'eût interrogée : à quelle heure je me lève, sur quel côté je dors, quelle est la couleur qui me va le mieux, et si quelqu'un m'a déjà fait la cour, et si je crois en Dieu ? En un mot, je sentis tout à coup que je n'avais aucune défense, qu'elle était sur le point de tout savoir de moi – mes sentiments envers elle-même et ce que j'en pensais. Il y avait, dans tout ce qu'elle faisait, une force si résolue qu'il était impossible de lui résister. Ce soir-là (c'était deux jours avant le départ) j'étais dans un tel état qu'il aurait suffi d'un rien pour que je lui raconte mes origines, pour que j'éclate en sanglots. Et elle comprit que dans ses questions elle était allée trop loin (entre autres choses, elle m'avait demandé si j'aimais quelqu'un, et, vite, je répondis non, parce que Evguéni Ivanovitch était alors complètement oublié, que, durant ces semaines, je m'étais beaucoup éloignée de maman et que, dans ces conditions, si j'aimais quelqu'un à ce moment, ce n'était qu'elle, Maria Nikolaevna, bien sûr). Elle comprit qu'elle était allée trop loin, qu'il était temps de mettre un terme à cette conversation. Elle se mit debout et dit :

« Allons chanter un peu. D'accord ? »

Elle pouvait travailler beaucoup, il n'existait pour elle ni « état », ni « humeur ». Elle se préparait pour les concerts à Moscou. La veille du départ, elle donnait un dernier récital à Pétersbourg, et c'était mon début avec elle.

Par la suite, il m'est arrivé, des dizaines de fois, de paraître à ses côtés sur une estrade, mais je n'ai jamais su comment saluer,

---

1. ***Consul*** : agent officiel d'un État, chargé de protéger à l'étranger ses ressortissants ainsi que leurs biens.

dans quelle direction porter mes regards, ni à quelle distance derrière elle je devais marcher. Je passais rapidement, comme une ombre, sans regarder le public, je prenais place en baissant les yeux, je posais mes mains sur le clavier.

Elle, elle distribuait ses sourires et ses regards comme si elle ne pensait à rien qu'à ceci : « Me voici. Vous voilà. Voulez-vous m'entendre ? Je vais chanter pour vous. Quelle joie de vous faire plaisir ! »

C'est ainsi, me semble-t-il, que je lisais ses pensées ce jour-là, à Pétersbourg, alors qu'elle était déjà devant moi, debout dans la courbure arrondie du piano à queue.

« Sonetchka ! » me souffla-t-elle, et je compris, d'abord, qu'il fallait commencer et ensuite qu'elle était la cantatrice, et moi l'accompagnatrice, que ce concert était son concert et non pas, comme elle le disait, le nôtre, que la gloire était pour elle, que le bonheur était pour elle, que moi, quelqu'un m'avait trompée, qu'on m'avait filoutée[1] sur le poids et la mesure, que j'étais traitée en dindon de la farce[2] par le bon Dieu et le destin.

L'énorme salle était pleine. Pendant l'entracte, la jeunesse forçait les portes de la loge de Maria Nikolaevna où toute la fleur[3] du Conservatoire et du théâtre Marie nous entourait. Je me tenais là sans rien dire, de temps en temps Maria Nikolaevna me présentait ceux qui arrivaient, je connaissais la plupart d'entre eux, mais j'estimais qu'il n'était pas convenable de leur parler, et d'ailleurs je n'avais rien à leur dire. Quelqu'un me complimenta, me demanda de répéter mon nom, mais à ce moment Pavel Fédorovitch s'approcha, les gens rirent en même temps de quelque chose et se mirent à parler.

« Sonetchka, où donc est mon mouchoir ? chuchota Maria Nikolaevna, le regard apeuré. Il me semble que j'ai le nez humide. »

---

1. ***Filoutée*** : volée, escroquée.

2. ***Dindon de la farce*** : expression qui désigne celui qui est trompé ou victime d'une mauvaise plaisanterie.

3. ***La fleur*** : l'élite.

Compréhensive, je me mis à chercher le mouchoir, je le trouvai sous la chaise et le lui tendis.

Maman était là. Elle avait un visage heureux, le nez légèrement rougi d'attendrissement. Elle eut le temps de murmurer :

« C'est ton premier triomphe, Sonetchka ! »

Je la regardai avec surprise : non, elle ne se moquait pas de moi.

Parce que l'heure avait été avancée de trois heures et parce que nous étions au mois d'avril, la nuit était tout à fait claire, nous rentrâmes à la maison à minuit passé. J'entendais Pavel Fédorovitch qui soupait, seul, dans la salle à manger, debout devant le buffet, j'entendais Maria Nikolaevna qui téléphonait. Il était difficile d'obtenir une communication de nuit. Elle attendit longtemps. Puis elle parla, très, très doucement. Dans ma chambre, je ne bougeais pas. J'aurais pu coller l'oreille contre la porte et entendre chaque parole, mais je ne bougeai pas, je restai assise sur le lit. Qu'est-ce que cela pouvait me faire, qu'elle eût un amant, ou deux ? Que Pavel Fédorovitch les tue, elle ou eux, ou qu'elle se fasse quelque chose à elle-même ? Moi, moi, qu'est-ce que je vais faire dans la vie ? Moi, moi, pourquoi j'existe dans le monde ?

Et soudain la porte s'ouvre et elle entre :

« Vous ne dormez pas encore ? Laissez-moi vous embrasser. Merci pour cette soirée. »

Je lui prends la main, je marmonne :

« Que dites-vous, Maria Nikolaevna, qu'ai-je à faire là-dedans ? »

Elle me met un pruneau dans la bouche et elle rit.

Le lendemain, à huit heures du soir, nous partîmes pour Moscou.

À la gare, il y avait maman, ainsi que Mitenka, et la petite-fille de X., et une trentaine de personnes que je connaissais un peu ou pas du tout. Coiffée d'un chapeau de cuir blanc, un renard blanc[1]

---

1. ***Renard blanc*** : par métonymie, désigne la fourrure que porte Maria Nikolaevna.

sur les épaules, Maria Nikolaevna était à la fenêtre du wagon. J'essayais de voir quel était l'homme qu'elle regardait le plus souvent, mais maman, en larmes, cherchant ses mots, s'interposait tout le temps entre elle et moi.

« Reviens, ma petite fille, disait-elle, que va-t-il advenir de nous tous ? Mon talent lumineux, sois heureuse ! Que Dieu donne la santé aux Travine, comme ils sont bons et gentils ! Sois prudente, fais attention, applique-toi Sonetchka, mon tout petit... »

J'écoutais ses balbutiements et alors que je ne les comprenais qu'à moitié, quelque chose me parvenait, à ce moment, de ses dernières paroles. « Ma petite maman, répondis-je, tout ira bien, ma petite maman, tu vois comme tout s'arrange bien. Et pourquoi s'inquiéter ? Il ne faut pas s'inquiéter. Porte-toi bien, maman. » Elle pleurait, elle m'embrassait. La sonnerie retentit. Je sautai sur la plate-forme du train. À ce moment, un homme vêtu d'une vareuse militaire avec des galons, un étui à revolver luisant à la ceinture, sortit de la foule, fit deux pas le long du wagon, serra fortement la main que Pavel Fédorovitch passait par la fenêtre, baisa deux fois celle de Maria Nikolaevna, agita sa casquette. Tout le monde agita des chapeaux et des mouchoirs, même Mitenka. L'homme à la vareuse marcha à grands pas à côté de la fenêtre.

« On se reverra à Moscou, dit-il.

– Ça suffit, tu vas tomber sous le train, dit-elle.

– On se reverra à Moscou » – l'homme le répéta comme une menace.

Le train prit de la vitesse, et il resta en arrière.

« Senia a tellement grossi, dit Pavel Fédorovitch en s'adressant à moi, que bientôt il ne saura plus courir. »

Maria Nikolaevna ne répondit pas. Elle restait près de la fenêtre et regardait en arrière. D'après la direction de son regard, je vis qu'elle ne regardait pas ceux qui l'avaient accompagnée et devant lesquels, agitant sa casquette, se tenait Senia, mais plus à gauche, et qu'elle regardait longuement, avec tristesse...

Nous avions deux compartiments voisins. En dehors de nous, il y avait aussi, dans ce wagon, de hauts dignitaires[1] soviétiques avec lesquels Pavel Fédorovitch – chargé d'une mission à Moscou – fit aussitôt connaissance. Ils burent d'abord chez nous, puis nous bûmes chez eux. Enveloppée dans un grand châle bariolé[2], Maria Nikolaevna obligea l'un d'eux à rester à genoux devant elle, un verre plein à la main, pendant près d'une demi-heure. Pavel Fédorovitch avait une conversation longue et passionnante sur la chasse, sur la fameuse collection d'armes de Karachan, sur la chasse aux aurochs[3] du tsar. Le troisième, qui était jeune et mince, avec un visage d'ange et de grands yeux, voulut absolument que nous nous tutoyions après avoir bu ensemble. J'avais peur, mais j'accrochai mon bras au sien et vidai mon verre, après quoi il dit qu'il m'embrasserait. Ma peur augmenta. Je compris que j'étais ivre et que s'il le faisait je pourrais tomber amoureuse de lui.

« Je t'apprendrai à embrasser, disait-il, ça ne fait rien si tu ne sais pas, je t'apprendrai. »

Maria Nikolaevna lança, de l'autre bout du compartiment :

« Cela ne se fait pas si vite. »

Il me prit dans ses bras et je sentis quelque chose de doux et d'humide dans ma bouche.

La nuit s'élançait vers la fenêtre, quelqu'un titubait dans le couloir, quelqu'un m'embrassait les mains, sans m'importuner, avec beaucoup de ménagements ; enfin, quelqu'un me conduisit doucement jusqu'à mon compartiment. La nuit s'élançait vers la fenêtre. Le train se précipitait. Je sentais que c'était la vie qui s'élançait vers moi, et je me précipitais en elle, en cet inconnu velouté.

---

1. ***Dignitaires*** : personnes ayant une fonction, un titre ou une charge importante, ici au sein de l'État soviétique.
2. ***Bariolé*** : coloré de tons vifs et variés.
3. ***Aurochs*** : bœufs sauvages de grande taille.

[V]

Senia arriva à Moscou deux semaines après nous – je l'attendais comme on attend, sans doute, un être aimé. Et cependant le temps fuyait, décidé et rapide, et chaque jour de la vie moscovite apportait quelque chose de nouveau.

5 Nous étions descendus chez la sœur de Maria Nikolaevna, dans la Spiridonovka. Le rez-de-chaussée de cet hôtel particulier était occupé par une administration, et une quinzaine de personnes, toutes de la famille, logeaient au premier étage. J'étais la seule étrangère. Dès le premier jour de notre arrivée, quelques 10 messieurs désinvoltes[1] commencèrent leurs visites ; ils ne demandaient pas où et quand Maria Nikolaevna allait chanter, ni ce qu'elle allait chanter. C'était comme s'ils la réquisitionnaient[2], et ils lui donnaient des ordres, poliment bien sûr, mais sans admettre d'objections[3] : tantôt il fallait monter dans un camion 15 qui était devant la porte pour assister à une réunion au Kremlin[4], tantôt il fallait chanter à la Philharmonie[5] des morceaux bien précis, et cela un jour bien précis et pas un autre, tantôt il fallait accepter un engagement au Bolchoï[6] pour l'hiver suivant. Pavel Fédorovitch, qui ne quittait presque jamais la maison (son ordre 20 de mission se révéla fictif), dit un jour :

---

1. ***Désinvoltes*** : sans-gêne, presque irrespectueux.
2. ***Réquisitionnaient*** : exigeaient que Maria Nikolaevna fût mise à leur disposition.
3. ***Objections*** : arguments que l'on oppose à une opinion pour la réfuter ; ici, synonyme de refus ou d'impossibilités.
4. ***Kremlin*** : ancienne résidence des tsars située à Moscou ; siège du gouvernement soviétique.
5. ***Philharmonie*** : association musicale formée d'amateurs ou de professionnels, et qui donne des concerts publics.
6. ***Bolchoï*** : célèbre salle de concerts et de théâtre de Moscou.

« Ce n'est pas à l'automne, c'est maintenant qu'il faut décamper. Comment pourrais-tu vivre ainsi ? »

Maria Nikolaevna le regarda avec confiance et nous comprîmes que dès le lendemain il se mettrait en quête de faux documents.

25 Outre ces « réquisitions », je connus à Moscou une autre chose ; je connus, pleinement, ce qu'est une gloire qui n'est pas la vôtre, et je m'y habituai même un peu. Maria Nikolaevna ne me lâchait plus. Parfois elle m'envoyait parlementer avec des admirateurs exigeants, d'autres fois elle me priait d'aller quelque 30 part pour affaires. Je me rappelle qu'à un souper, après, je crois, son deuxième concert, elle devait être à table la voisine de Lounatcharsky [1], et qu'à la dernière minute elle me fit prendre sa place. Lounatcharsky rougit, ne dit rien, mais devint extrêmement en verve [2] à la fin du repas.

35 « Êtes-vous femme ou jeune fille [3] ? me demandait-il en me soufflant dans la figure une odeur de vin. Répondez – êtes-vous femme ou jeune fille ? »

Butant [4] sur les mots, j'avouai avec franchise que j'étais jeune fille. Il le déclara à toute l'assistance, laissa poindre une larme au 40 coin de l'œil et voulut me saluer jusqu'à terre, mais Pavel Fédorovitch intervint à temps.

Tout autour de moi il y avait la gloire d'une autre, la beauté d'une autre, le bonheur d'une autre, et le plus dur était que je les savais mérités, que si je n'avais pas été au piano, sur l'estrade où 45 on ne me remarquait pas, ou dans la loge quelque part derrière Maria Nikolaevna, mais dans cette foule qui l'applaudissait et courait la voir à la sortie des artistes, je l'aurais regardée moi-même avec autant d'enthousiasme, j'aurais autant désiré lui

---

1. ***Lounatcharsky*** : homme politique (1875-1933), critique et dramaturge soviétique, commissaire du peuple à l'Instruction (1917-1929).

2. ***En verve*** : bavard, animé.

3. Lounatcharsky humilie publiquement Sonetchka en l'interrogeant de façon grossière sur sa virginité.

4. ***Butant*** : balbutiant, bafouillant.

parler, lui toucher la main, voir son sourire. Mais maintenant, je
50 n'avais qu'un rêve – trouver le point faible de cet être fort, détenir le pouvoir de disposer de sa vie lorsque je n'en pourrais plus de demeurer son ombre.

Ses relations avec Pavel Fédorovitch m'étonnaient bien des fois. Alors que, sans aucun doute, elle gardait en elle un secret,
55 ces relations étaient sans nuages. Il l'aimait autant qu'il est possible d'aimer. Ils étaient mariés depuis six ans. Chacune de ses paroles, chacune de ses pensées étaient pour lui au-dessus de tout jugement, elle était toute sa vie. Et elle le lui rendait pleinement. Quant à moi j'attendais Senia pour la surprendre dans sa trahi-
60 son. Et un beau matin, Senia arriva chez nous, venant directement de la gare.

« Enlève ta casquette, qu'est-ce que c'est que cette goujaterie [1] que d'entrer sans se découvrir, dit-elle, tout en frottant avec une serviette ses cheveux qu'elle venait de laver. Quoi de neuf à Péters-
65 bourg ? »

Je sortis et m'arrêtai derrière la porte. Mais la conversation se fit aussitôt à voix basse. Deux fois, les éperons [2] de Senia tintèrent. Lorsque Pavel Fédorovitch rentra, je lui dis en cachant à peine mon émotion qu'il y avait quelqu'un chez Maria Nikolaevna. Il
70 regarda par la fente de la porte et la referma aussitôt.

« C'est une culotte de cheval, me dit-il. C'est sûrement Senia. Il est venu quand même, l'imbécile ! Eh bien, laissons-les s'expliquer. »

Nous restâmes dans la chambre d'enfants, où il n'y avait per-
75 sonne. Une demi-heure s'écoula. Pavel Fédorovitch me montrait des papiers et me demandait de retenir les noms sous lesquels nous allions, dès la semaine suivante, entreprendre le voyage vers le Sud. J'étais terriblement anxieuse et je trouvais bizarre qu'il fût tout à fait calme. Soudain, on sortit dans l'antichambre.

---

1. ***Goujaterie*** : grossièreté, impolitesse.
2. ***Éperons*** : pièces de métal terminées par une roue à pointes, fixées aux talons d'un cavalier pour piquer les flancs d'un cheval.

On entendit partir deux personnes mais ni Maria Nikolaevna ni son visiteur ne prononcèrent un seul mot. Senia tira brutalement la porte d'entrée.

« Il conservait quand même je ne sais quelles folles espérances, dit Maria Nikolaevna en entrant dans la chambre. Comme c'est pénible. Quinze années d'amitié charmante, un homme gai, pas bête. Le voilà perdu pour moi. »

Elle s'assit. Pavel Fédorovitch demanda :

« Mais tu n'as pas été brutale ?

– Un peu », dit-elle, puis elle s'accouda et demeura pensive.

J'étais debout près de la fenêtre, les bras ballants. J'avais envie de m'élancer vers eux, de leur demander de me chasser.

« Et moi, j'ai des nouvelles, des nouvelles d'une importance capitale, commença Pavel Fédorovitch. Tout est prêt, et je pense que nous allons bientôt nous mettre en mouvement. »

Maria Nikolaevna leva la tête.

« Odieuse Moscou, dit-elle. Que ce soit vers le Nord ou le Sud, ça m'est égal, pourvu qu'on s'en aille. »

Et cinq jours plus tard nous nous mîmes en route. Notre voyage fut plein de mystères et de dangers, il coûta beaucoup d'argent et de bijoux et dura près d'un mois – mais même dans ces moments les plus exceptionnels il ressemblait trop à d'autres voyages du même genre ; et même si au cours de nos péripéties il nous sembla qu'à nous seuls était imparti d'attraper des poux, d'être dévalisés jusqu'à la dernière chemise, de se cacher dans un wagon à bestiaux épargné sur une voie ferrée défoncée par la dynamite, nous apprîmes, à notre arrivée à Rostov[1], que des dizaines, et des centaines de personnes avaient vécu la même chose et que, dans une commune existence d'abondance et de gaieté, personne n'y pensait plus. Nous avions maintenant un appartement dans un hôtel. En quelques jours, Pavel Fédorovitch

1. ***Rostov*** : ville du sud-ouest de la Russie située non loin de la mer Noire, au bord du fleuve Don.

réalisa une affaire se chiffrant en millions, Maria Nikolaevna travaillait, se produisait, brillait. Et moi... pour la première fois de ma vie j'étais amoureuse. Nous allions chez Philipoff manger des gâteaux. Il avait dix-huit ans, il était en première année [1], et sa
115 bêtise m'émouvait jusqu'aux larmes.

Tout y était, et « si je m'en vais à la guerre, pleurerez-vous ? » et « j'ai trop souffert dans l'existence pour ne pas comprendre », et « si vous ne pouvez pas vous soumettre à moi jusqu'au bout, dites-le franchement » – paroles infiniment douces et complètement vides
120 de sens, et qui me plongeaient dans un engourdissement béat [2].

À la maison, j'avais caché cette relation. Je m'appliquais à être aussi consciencieuse, aussi docile. Maria Nikolaevna travaillait tous les jours ; il y avait des soirées, surtout des soirées de bienfaisance. Là aussi il y avait ce succès qui l'entourait comme l'air.
125 Et moi je pensais que j'allais me marier avec mon étudiant de première année, laisserais tomber les Travine – sans préavis [3], sans adieu, commencerais ma propre vie, mettrais un enfant au monde et abandonnerais la musique qui m'avait joué un si mauvais tour. Et ces pensées me rendaient presque heureuse.

130 « Sonetchka, venez vous asseoir par là, me dit un jour Maria Nikolaevna, vous êtes mon amie, n'est-ce pas, et je peux vous parler franchement ?

– Oui, Maria Nikolaevna, et je m'assis là où elle l'avait indiqué.

135 – Regardez-moi. Depuis quelque temps, votre regard a changé. Il est comme durci... Laissez donc tomber votre galopin [4]. Il est très comique. »

J'étais glacée.

---

1. On apprend un peu plus loin que Philipoff est étudiant en première année à la faculté de droit (voir p. 68).

2. ***Béat*** : exagérément satisfait et tranquille.

3. ***Sans préavis*** : sans prévenir à l'avance.

4. ***Galopin*** : garnement, polisson.

« S'il était seulement jeune, ou bête, ou laid, ou n'importe quoi
140 encore. Mais le vôtre, il est tout simplement comique. Dieu sait ce qu'il a, mais il est impossible de le regarder sans rire.

– Comment… savez-vous ?

– Mais il n'y a rien à savoir. Est-il possible que ce soit l'amour ?

145 – Nous allons nous marier, arrivai-je à dire.

– Pas possible ! Alors là, c'est une véritable anecdote. Vous savez, il sera employé du télégraphe.

– Pourquoi du télégraphe ? Il est à la faculté de droit.

– Ça ne fait rien, il sera quand même employé du télégraphe.
150 Et pendant toute sa vie il aura mal aux dents. »

(En effet, il y a peu de temps, il avait eu une chique [1].)

« … Et quand vous vous promènerez bras dessus, bras dessous…

– Maria Nikolaevna, il ne faut pas !

155 – Pourquoi, il ne faut pas ? C'est la vie. L'univers divin est arrangé merveilleusement, n'est-ce pas ? »

Je demeurais assise sans rien dire. Il aurait mieux valu qu'elle me dise – je vous défends de fréquenter ce blanc-bec [2], ou quelque chose de ce genre. Oui, à côté d'elle tout le monde était pitoyable
160 et ridicule.

« Et puis, vous savez, nous allons bientôt partir.

– Où ? »

Elle s'approcha, me mit une main sur l'épaule et regarda – pas moi, mais sa main.

165 « À l'é-tran-ger », dit-elle d'une voix à peine audible, comme si les murs pouvaient entendre.

Et voilà, je ne revis plus mon étudiant de première année. Je compris tout à coup que mon histoire avec lui était un écart de la direction principale que j'avais prise encore à Pétersbourg, je

---

1. ***Chique*** : enflure de la joue causée par une rage de dents.
2. ***Blanc-bec*** : jeune homme sans expérience et sûr de lui.

170 compris que dans ma vie il ne devait y avoir personne d'autre que les Travine. Et de nouveau je me mis à observer et à prêter l'oreille, mais rien n'arrivait jusqu'à moi de ce qui m'était nécessaire.

Et, en fait, nous quittâmes Rostov à l'automne, et arrivâmes à 175 Constantinople[1] en passant par Novorossisk[2]. Pavel Fédorovitch rendait notre vie légère et sans soucis, ce deuxième voyage était moins dangereux et plus simple que le premier, mais mon existence nomade ne devait se terminer qu'en 1920, elle avait duré exactement un an et ne m'avait pas apporté ce que j'en attendais. 180 Je m'étais habituée aux Travine, j'étais devenue un membre de leur famille, j'étais la première auditrice de Maria Nikolaevna et en même temps – sa servante. La brume de mystère et de ce quelque chose qui n'allait pas bien qui m'avait si longtemps inquiétée, s'était peu à peu et complètement dissipée autour d'elle et de 185 Pavel Fédorovitch, mais je savais qu'un jour viendrait où elle s'épaissirait de nouveau et où je saurais tout ce que je voulais tant savoir.

Ainsi donc, notre troisième voyage se termina au printemps de l'année 1920 – nous étions à Paris.

190 Je me souviens, il pleuvait, c'était le soir, je regardais par la fenêtre de la voiture les rues et les piétons – j'étais assise sur un strapontin face aux Travine. Maria Nikolaevna avait l'air fatiguée. Je me souviens de mes rêves dans la chambre de l'hôtel *Regina*, les premières journées, le portrait de Maria Nikolaevna dans *Le Petit* 195 *Parisien*[3]. Je m'en souviens nettement, comme si c'était seulement hier. Et, de nouveau, combien de fois déjà pendant cette année, la vie recommençait impétueuse[4], bariolée et généreuse, on retrouva d'anciennes relations des Travine, il y eut des sorties,

1. ***Constantinople*** : ville du nord-ouest de la Turquie, ancienne Byzance, aujourd'hui Istanbul.
2. ***Novorossisk*** : ville de Russie sur la mer Noire.
3. ***Le Petit Parisien*** : journal parisien.
4. ***Impétueuse*** : vive, ardente.

des soirées, des restaurants. L'été arriva – Maria Nikolaevna partit
200 à la montagne. Bientôt, Pavel Fédorovitch partit la rejoindre. Je flânais en ville, je visitai le tombeau de Napoléon [1], les églises, de l'argent j'en avais suffisamment. Après, on me fit aussi venir dans le Midi. Nous rentrâmes en septembre et aussitôt le travail battit son plein ; Pavel Fédorovitch se lança dans les affaires, Maria
205 Nikolaevna commença à se préparer pour les concerts. Il y eut un impresario [2]– requin et aigrefin [3]– mais homme charmant, avec des histoires drôles, des compliments et toutes sortes de services rendus.

L'automne approchait…

210 J'étais seule à la maison le jour où c'est arrivé. Nous avions déjà un appartement. Les Travine étaient partis déjeuner quelque part, la bonne avait congé.

On sonna à la porte.

Je déchiffrais [4] quelque chose au piano et sans penser du tout
215 qui cela pouvait être, j'allai ouvrir.

Un homme entra, grand, très grand, encore jeune, coiffé d'un feutre et vêtu d'un manteau de bonne qualité mais déjà fortement râpé. À la main il avait une vieille canne démodée.

La porte du salon était ouverte. Je vis qu'il avait les cheveux
220 châtain foncé, un nez droit et long, et une petite moustache. Ses yeux regardaient sans joie.

« Maria Nikolaevna Travina habite ici ?

– Oui.

– Elle est chez elle ?

225 – Non, elle n'est pas là. »

Il poussa un soupir de soulagement.

---

1. Les cendres de Napoléon Ier ont été déposées en 1840 dans la chapelle de l'hôtel des Invalides.
2. ***Impresario*** : personne qui s'occupe de la carrière d'un artiste.
3. ***Aigrefin*** : malhonnête, escroc, filou.
4. ***Déchiffrais*** : découvrais pour la première fois, en l'interprétant, une partition de musique.

« Elle va peut-être rentrer bientôt ? »

Je compris qu'il me prenait pour une domestique.

« Je ne crois pas.

230 – Et Pavel Fédorovitch ?

– Il est sorti aussi.

– Ils rentreront ensemble ?

– Oui, je crois. »

Il resta silencieux. Puis il sortit de sa poche un papier, un
235 crayon, et écrivit quelque chose.

« Voilà mon numéro de téléphone, dit-il, prenez-le. Transmettez à elle – il souligna "elle" – transmettez que Ber est venu, André Grigorievitch Ber. Vous n'oublierez pas ? »

Et il me fourra deux francs dans la main.

240 Je pris l'argent, je remerciai et je dis avec toute la persuasion dont j'étais capable : « Non, je n'oublierai pas, soyez tranquille. »

Et lorsqu'il partit, je m'assis ici même, dans l'antichambre, sur un tabouret en velours et je me mis à pleurer. Par pitié pour moi-même peut-être, ou bien de joie, parce que aujourd'hui le début du
245 mystère s'était approché de moi.

[VI]

Je savais qu'il allait falloir, tout à l'heure, dire à Maria Nikolaevna que Ber était venu – ce même Ber que, depuis des mois, j'avais complètement oublié et dont l'existence dans le monde m'était seulement sensible par quelque instinct de chien. C'était ce même homme pour qui j'avais posté une lettre, sur la Liteïnaia, le premier soir de mon travail chez les Travine. Maintenant il était à Paris. Nous avait-il suivis ? J'étais prête à garantir que non. Sans aucun doute, il était sorti de Russie par le Nord, et le voilà ici, et (après un an d'absence) c'était sa première apparition dans la vie de Maria Nikolaevna.

« Tu n'en as pas assez ? – me disais-je. Tu te sens mal ? Que veux-tu, et pourquoi cherches-tu à démolir cette existence où l'on t'a reçue avec tant de confiance ? » Je me tenais des deux mains à un trumeau[1] étroit et je me regardais dedans, je regardais mon visage comme si je ne l'avais jamais vu d'aussi près. Et plus je me regardais, plus il me semblait que ce n'était pas moi, mais l'autre, du fond de la glace, qui me regardait. Et qu'elle avait les yeux d'une personne décidée à mettre le feu à la maison. Que la mèche fumante était peut-être déjà serrée dans sa grande main pâle et noueuse.

« La mèche ? De quelle mèche s'agit-il ? »

Dans la glace, derrière moi, je vis un visage rieur. Sans faire de bruit, Maria Nikolaevna était entrée dans la pièce.

« Pavel Fédorovitch est parti aux courses, et moi je suis rentrée. Je vous en supplie, branchez le fer – j'ai un chiffon[2] à repasser pour ce soir. Où est Dora ?

---

1. ***Trumeau*** : partie de menuiserie qui entoure un miroir.
2. ***Chiffon*** : vêtement (familier).

– Je repasserai, Maria Nikolaevna. Dora est sortie. »

Nous étions debout au milieu de la pièce. Lorsque je vis qu'elle se tenait face à la lumière, de telle sorte que son visage ne pouvait me dissimuler aucun mouvement, je desserrai ma main et lui tendis le numéro de téléphone de Ber.

« Un monsieur est venu vous voir et a demandé que vous lui téléphoniez. »

Elle dit « ouf » et s'assit.

« Qu'est-ce qu'il veut ? Qui c'est ? C'est peut-être pour Pavel Fédorovitch ?

– Non, c'est pour vous. André Grigorievitch Ber. »

« Eh bien, en voilà assez ! Elle a pâli. Ça suffit. Ça suffit. La suite ne te concerne pas. Elle est devenue tout à fait pâle, elle va se trouver mal tout à l'heure. Tu es contente ? Voilà, elle se sent mal. »

Mais Maria Nikolaevna ne se sentait pas mal, et elle n'avait pas chancelé, comme il m'avait semblé, elle hocha seulement la tête. Elle prit le papier, le lut, demeura pensive. Je restais debout et j'attendais.

« Le fer à repasser, dit-elle sans me regarder, Sonetchka, j'avais demandé… »

J'allai à la cuisine et branchai le fer. On n'entendait rien dans l'appartement.

« Et pendant qu'il chauffe, cria-t-elle tout à coup de sa voix forte, Sonetchka ! s'il vous plaît, appelez ce numéro. »

Nous allâmes vers le téléphone.

« Vous demanderez ce monsieur Ber et vous lui direz que vous m'avez dit qu'il était venu, mais que je suis tellement occupée ces jours-ci, tellement occupée que je m'excuse de ne pouvoir le recevoir. Et que je lui ferai savoir quand je serai un peu plus libre. »

Ses joues étaient empourprées [1], ses yeux brillaient, sa voix était sur le point de la trahir.

---

1. ***Empourprées*** : colorées de rouge.

J'appelai le numéro, on me dit que Ber n'était pas chez lui.
60 Elle ne s'y attendait pas, perdit contenance[1], se mit à enlever et à remettre son gros bracelet. J'allai à la cuisine.

Une demi-heure après elle m'appela, elle voulait chanter un peu avant le dîner.

« Qu'en pensez-vous, Sonetchka, dit-elle, déjà debout près du
65 piano et en me regardant d'une façon bizarre, supposons que je veuille connaître l'adresse de quelqu'un d'après le numéro de téléphone. Peut-on le faire ?

– Je pense qu'on peut.

– Non, pas celle de Ber ! Oh, comme vous êtes maligne, sûre-
70 ment vous avez pensé à ce Ber. Non, théoriquement.

– Il y a, je crois, un annuaire téléphonique spécial pour ça. Quand nous habitions au *Regina*, je l'ai vu.

– Spécial ? Et si je ne l'ai pas ?

– Alors il vous faudra parcourir tout l'annuaire télépho-
75 nique – un million de numéros.

– Un million, croyez-vous ? Et combien d'heures pensez-vous que cela pourrait prendre ? »

Qu'est-ce que j'en savais ? Une pensée m'occupait : allait-elle me demander de ne pas parler de la visite de Ber devant Pavel
80 Fédorovitch ? Mais voilà que Pavel Fédorovitch est rentré (ayant gagné beaucoup et joyeux comme d'habitude), et Maria Nikolaevna ne m'a rien dit.

Mais à lui non plus elle n'a rien dit.

« Personne n'est venu ? » demanda-t-il encore dans l'anti-
85 chambre.

Et je répondis : « Personne, Pavel Fédorovitch », pensant que Maria Nikolaevna me jetterait un regard reconnaissant, mais elle ne tourna même pas la tête de mon côté.

Et le lendemain matin, sur sa demande, j'appelai Ber au télé-
90 phone et lui transmis ce qu'elle m'avait chargée de lui dire. Elle

1. ***Perdit contenance*** : perdit son sang-froid, fut déconcertée.

écoutait sa voix à l'écouteur. Il demanda de répéter, remercia. Le soir du même jour, Maria Nikolaevna persuada Pavel Fédorovitch de l'emmener dans une maison de jeu où, contrairement aux clubs ordinaires, on recevait les femmes (clandestinement, bien sûr). Ils
95 rentrèrent tard. Maria Nikolaevna me réveilla, en entrant dans ma chambre.

« Dans un cas pareil, on peut déranger cette Sonia-dormeuse. J'ai dilapidé [1] dix-huit mille ; et Pavel Fédorovitch non seulement ne m'a pas attrapée, mais il m'a consolée encore (alors qu'on le
100 traite de "koupetz [2]" !). Puis je les ai regagnés, et j'ai même emporté sept mille en plus des miens ! Jouer, il faut savoir ! C'est une autre chose que de chanter ! Chanter, tout le monde le peut ! »

Elle était si belle, si gaie, qu'avec Pavel Fédorovitch nous ne savions comment la calmer. Tous les trois nous ne dormîmes
105 qu'à l'aube. « On le traite de "koupetz" ! Qui le dit ? pensais-je. Qui a le droit de dire de Travine que c'est un "koupetz" ? »

Mais il y avait chez Pavel Fédorovitch, et je le comprenais, quelque chose qui pouvait choquer les gens n'appartenant pas à son milieu.

110 Au cours de cette année, il avait complètement changé d'apparence. Il avait fait couper ses cheveux de « marchand » et se coiffait avec une raie de côté, à l'européenne ; à la place des bottes il portait des chaussures de première qualité et, l'hiver, des guêtres gris clair. Son linge, ses cravates, ses costumes – tout était parfait ;
115 il s'était fait soigner les mains, son visage s'arrondit et il avait mis à son auriculaire court et velu une bague ornée d'un diamant. Et quand il se taisait et ne bougeait pas, fumant un cigare dans son fauteuil, les jambes allongées, avançant un ventre qui se posait déjà un peu là, on pouvait le prendre pour un homme d'une
120 parfaite correction, pour un gentleman, aux abords de la respectabilité.

---

1. ***Dilapidé*** : ici, perdu au jeu.
2. ***Koupetz*** : voir note 3, p. 52.

Mais il lui suffisait de se mettre à parler ou à marcher pour que, soudain, apparût en lui une espèce de joyeuse vulgarité, une espèce d'animalité, de simplisme ; on voyait que ce qu'il aimait le
125 plus au monde était de bien manger, boire comme un riche, piquer un roupillon [1], « jouer un coup », comme il disait, parader [2] avec Maria Nikolaevna – ce qui faisait faire un peu la grimace à certains de ses amis, mais ce qui ne gênait pas du tout Maria Nikolaevna elle-même. Elle disait qu'à son avis un homme devait,
130 justement, être comme ça : un peu rustaud [3] dans ses goûts, stable dans la vie, ne s'occupant pas de savoir si l'impression qu'il donne aux gens dont il n'a nul besoin est bonne ou non. Un jour, elle me dit à peu près ceci :

« Il y a quelque chose d'inadmissible et de contre nature dans
135 un couple où lui est perdu dans de hautes pensées, plane, ne voit rien autour de lui, met les pieds dans toutes les flaques, s'assied à côté de la chaise et se mouche dans une serviette à thé, alors qu'elle fait tous les comptes dans sa tête, combien coûtent ceci et cela, et les caoutchoucs [4] ne prennent-ils pas l'eau, et – oh ! demain
140 c'est le terme et encore quelque chose. L'homme doit avoir la tête froide et, s'il le faut, pousser le voisin pour passer lui-même. La femme – vous pensez peut-être qu'elle doit être dans le genre d'un oiseau ? Non, pas du tout. Mais si elle a du talent ou seulement une âme, elle est sauvée. »

145 C'est ce qu'elle m'avait dit un jour. Et lorsque, un soir, elle sortit seule – chose qu'elle ne faisait jamais –, je me rappelai ces paroles et je pensai qu'il est aussi facile de tromper celui qui plane, se laisse avoir, se conduit comme un demeuré, que celui qui par sa nature sensée et épaisse aime la vie qui le lui rend bien.

---

1. ***Piquer un roupillon*** : faire une petite sieste (familier).
2. ***Parader*** : se montrer en se donnant un air avantageux.
3. ***Rustaud*** : qui a des manières grossières et maladroites.
4. ***Caoutchoucs*** : désigne par métonymie les chaussures ou les bottes en caoutchouc.

150 Elle sortit le soir. Pavel Fédorovitch était à son club. Elle ne dit pas où elle allait. Elle rentra tôt, vers onze heures, elle n'avait pu aller bien loin ; peut-être s'était-elle promenée en voiture au bois de Boulogne, peut-être était-elle restée au café du coin, comme une petite cousette[1]. Elle passa dans sa chambre. D'habitude, je ne 155 dormais pas encore à cette heure-là, mais ce soir je ne me sentais pas bien et je m'étais allongée. L'ayant entendue, j'enfilai ma robe de chambre, et, en chaussons, je courus demander si elle ne voulait pas que je lui apporte du thé au lit. Je frappai à sa porte et comme personne ne répondait, j'entrai sans bruit. Maria Nikolaevna était 160 assise sur une chaise devant la coiffeuse, et elle pleurait.

Je m'élançai vers elle avec une force sauvage, sans comprendre ce que je faisais et sentant que je pleurais aussi. Je lui saisis la main, je l'enlaçai de mon autre bras et j'inondai sa robe de mes larmes. Elle se cacha le visage avec sa main. Mon cœur était déchiré, je ne 165 pouvais rien exprimer. Enfin, elle éloigna mon visage, me regarda dans les yeux. Je sentis qu'elle allait me dire… qu'elle ne pouvait dissimuler plus longtemps. Oh, comme je le souhaitais, comme je le souhaitais ! Mais, simplement, elle me sourit.

« Allons prendre du thé, dit-elle, et tout se passera. »

170 Et elle effleura d'une grosse houppette[2] rose mes yeux humides et les siens.

Une heure plus tard j'étais dans ma chambre, toute seule. Eh bien voilà, elle a pleuré. Cela suffit. Ce dont je rêvais s'est réalisé sans moi. Elle a pleuré, elle souffrait, elle n'était pas heureuse.

175 Mais le lendemain – qui fut spécialement chargé et agité – en la voyant tellement égale, calme, sans nuages, je ne croyais plus à moi-même, et plus cette soirée s'éloignait, plus je me mettais à douter – ai-je seulement vu ses larmes ? Et peut-être qu'il n'y en a pas eu du tout, et que c'était seulement de la fatigue ? Ou peut-être 180 elle pleurait pour des raisons tout à fait différentes, qui n'avaient

1. ***Cousette*** : jeune apprentie couturière.
2. ***Houppette*** : accessoire de maquillage qui sert à poudrer le visage.

rien à voir ni avec Ber, ni avec Pavel Fédorovitch. Peut-être avait-elle perdu son bracelet préféré, ou avait-elle reçu de Moscou, de sa famille, des nouvelles tristes ?

Une semaine plus tard, elle chanta à la salle Gaveau [1].

185 On m'avait fait faire une robe bleue, décolletée ; le coiffeur essaya de donner de la vie et de l'éclat à mes cheveux rares et secs. Maria Nikolaevna était extraordinairement belle dans sa robe blanche, avec la natte de ses cheveux noirs autour de sa tête. Suivant la dernière mode d'alors, sa robe ne se boutonnait pas,
190 mais s'entortillait et se nouait, et cela la faisait rire. « Tu imagines, disait-elle à Pavel Fédorovitch pendant que nous roulions en voiture, si ton habit s'entortillait comme ce genre d'enveloppe ? Qu'en dirais-tu ? »

Des gens portant des fleurs nous reçurent dans la loge poussié-
195 reuse, l'impresario, dont la barbe, ce jour-là, était teinte presque en bleu et tordue d'un côté, poussa un cri quand il vit Travina. Puis il m'aperçut.

« Comme vous êtes… jeune ! » s'écria-t-il avec enthousiasme.

Oui, j'étais jeune. Mais on ne pouvait dire de moi rien de
200 plus.

Et nous voilà entrées en scène. Elle devant, moi derrière, le long du premier rang de ceux qui étaient installés sur l'estrade et qui, bien entendu, comme ceux de la salle, la regardaient au-delà de moi. J'accompagnais toujours par cœur. Il me vint à l'esprit
205 que si je devais suivre une partition, il y aurait quelqu'un derrière moi, mettons une jeune fille en robe rose par exemple, qui se serait assise près de moi, sur une chaise, et aurait tourné les pages. C'est-à-dire qu'elle serait auprès de moi ce que j'étais auprès de Maria Nikolaevna. Mais je jouais par cœur et nous n'étions que deux.
210 Nous étions deux sur l'estrade et j'avais l'impression que nous étions deux dans la salle. Je savais que Pavel Fédorovitch était allé dans la première loge de droite, où il y avait des amis. La

---

1. ***Salle Gaveau*** : prestigieuse salle de concerts à Paris.

salle était comble. Mais je sentais tout de même que nous n'étions que deux. Cette sensation dura, sans doute, une minute : à partir
215 du moment où les applaudissements cessèrent et jusqu'à ce que, soudain, je visse Ber assis au premier rang.

Il la regardait et il était aussi blanc que le plastron [1] de sa chemise. Maintenant, nous étions trois. Je pris le premier accord. Maria Nikolaevna regardait au-dessus de la salle. Mais je devinai
220 qu'elle le savait là. Elle peut ne pas le regarder, elle le voit quand même.

---

1. ***Plastron*** : pièce de tissu cousue sur le devant d'un corsage ou d'une chemise d'homme.

[VII]

Vint l'hiver. Il y eut encore deux concerts après le premier. Pour le mois de décembre, Maria Nikolaevna reçut deux propositions – l'une pour une tournée de concerts en Amérique, l'autre pour la Scala [1] de Milan. Elle était maintenant entourée de gens d'une façon si dense, si serrée, que nous ne restions en tête à tête que le matin, avant le déjeuner, quand elle travaillait, parfois avant de s'habiller ; elle ne restait seule avec Pavel Fédorovitch que tard dans la nuit, lorsqu'ils rentraient d'une soirée passée au théâtre, au restaurant ou chez des amis ; quant à rester tous les trois, comme il nous arrivait autrefois, cela ne se produisait plus jamais.

Un si grand nombre de vieilles connaissances avaient maintenant surgi : des hommes d'affaires de la même race que Pavel Fédorovitch, des amies actrices, et des femmes du monde, et une espèce de jeunesse vieillissante, et même des étrangers.

Il y avait toujours quelqu'un à déjeuner, et jusqu'à cinq et six personnes pour dîner, si les Travine dînaient à la maison. Certains venaient tous les jours, d'autres changeaient. Parfois je ne savais même pas qui c'était, quel était leur nom. Des Moscovites revenaient à la surface (Pavel Fédorovitch était de Moscou) ; ils arrivaient cette année-là à Paris et la maison des Travine était l'une de leurs préférées.

Quelquefois, le soir, on jouait gros dans le bureau de Pavel Fédorovitch et ce jusqu'à huit heures du matin à peu près, de sorte que j'étais réveillée par les voix fortes et enrouées des gens qui prenaient congé dans l'antichambre, alors que la fumée de tabac, s'étendant en nappe dans tout l'appartement des Travine,

---

1. ***La Scala*** : célèbre salle de théâtre et de concerts de Milan.

finissait par pénétrer dans ma chambre. Pavel Fédorovitch allait doucement dans la salle de bains, puis se couchait quelque part
30 sur un divan, dormait jusqu'à une heure, déjeunait et partait pour son bureau – vendre et acheter le bois, le pétrole, le charbon et l'or russes – en un mot ce qui n'existait déjà plus, mais ce qu'il avait envie de voir exister, comme autrefois, lorsqu'il travaillait dans une administration de ravitaillement à Pétersbourg et qu'il
35 avait la haute main [1] sur des lots de pétrole, d'allumettes et de sel, qui étaient juste suffisants pour être partagés entre lui-même et quelques subordonnés [2]. Et de nouveau il ne pensait pas : est-ce honnête ou malhonnête, est-ce « selon Dieu » ou pas « selon Dieu » ? La vie s'écoulait, rapide, trouble. Dans cette eau trouble
40 il voguait.

Tous les jours on voyait chez nous des gens nouveaux : jeunes, vieux, riches ou ayant déjà dilapidé toute leur richesse dans quelque affaire ; des femmes, généralement belles, des hommes qui, sincèrement ou non, voyaient en Travina une divinité ; mais
45 dans ce courant je ne vis pas celui qu'il était si facile, semble-t-il, pour Maria Nikolaevna, d'introduire dans la maison – je ne vis pas André Grigorievitch Ber. Et j'en déduisis que Ber était connu de Pavel Fédorovitch, qu'il ne pouvait paraître dans la maison des Travine, comme il ne le pouvait à Pétersbourg.

50 Il me devint clair que Ber jouait un certain rôle dans la vie de Maria Nikolaevna depuis plus d'une année et que ce rôle avait été, autrefois, si bien saisi par Pavel Fédorovitch que l'entrée chez les Travine lui devint interdite – autrement, s'ils ne se connaissaient pas ou si Pavel Fédorovitch n'avait rien soupçonné, il aurait fré-
55 quenté chez eux aussi bien que les autres hommes. Peu à peu il me devint clair que, déjà à Pétersbourg, Ber était devenu le secret de

1. ***Avait la haute main*** : avait la mainmise ; expression qui souligne la domination et le pouvoir exercés par Pavel Fédorovitch dans cette administration.

2. ***Subordonnés*** : personnes placées sous l'autorité d'une autre dans une hiérarchie.

Maria Nikolaevna, et que maintenant elle n'avait pas révélé à Travine sa présence à Paris. Elle se taisait. Elle se taisait beaucoup. Elle semblait contente que d'autres parlent, fassent du bruit, et rient autour d'elle, lui donnant la possibilité de ne dire presque rien.

Il n'y eut plus ni coups de téléphone, ni visites de Ber. La vie de Maria Nikolaevna était remplie de musique, de sorties dans le monde, de visites chez le couturier et à l'institut de beauté – il semblait qu'elle n'avait ni la possibilité, ni le temps de le rencontrer, et cependant je ne doutais pas qu'elle le vît. Pourquoi ? je n'en avais aucune preuve. Au cours du premier concert, il était assis à une place d'orchestre et ne vint pas dans les coulisses ; pendant le deuxième et le troisième concert je ne le vis pas. Un jour, Maria Nikolaevna reçut une lettre qu'elle brûla aussitôt elle-même dans la cheminée où il n'y avait jamais de feu, et les cendres (le tuyau devait être fermé) volèrent dans tout l'appartement. Pendant la journée elle sortait presque quotidiennement, pas pour longtemps, mais envers et contre tout. Elle était devenue silencieuse, une ombre d'inquiétude envahissait par moments son visage. Et voilà qu'elle refusait de partir aussi bien pour l'Amérique qu'à Milan.

« Mais c'est que Ber est à Paris ! » avais-je envie de crier à Pavel Fédorovitch en voyant qu'il prenait un air étonné.

« Macha[1], mais pourquoi donc ? C'est ce dont tu avais toujours rêvé. Réfléchis… Tu n'as pas envie ? »

Elle secoua la tête. Les « proches » qui se trouvaient là – c'est-à-dire quatre messieurs qui nous étaient complètement étrangers – poussèrent de hauts cris.

J'allai dans le bureau de Pavel Fédorovitch, et y restai longtemps, regardant dans un livre et pensant à ce qui me touchait. L'Amérique, Milan, c'était tout ce brio[2] auquel elle aspirait en

1. ***Macha*** : diminutif affectueux de Maria.
2. ***Brio*** : ici, synonyme de réussite, de talent, de virtuosité.

Russie, et elle y renonçait pour l'amour. Elle voulait rester avec et aux côtés de l'homme qu'elle aimait et qui était venu à sa suite à Paris. Être ensemble. Ni ma mère ni moi n'avons jamais été ensemble avec personne. Elle refusait la gloire pour des rendez-vous brefs et secrets. Avec qui ? Qui était ce Ber ? Pourquoi ne l'enlevait-il pas ouvertement à Pavel Fédorovitch ? Qu'attendaient-ils ?

À tout cela, je n'avais pas encore de réponse. Pour l'instant, je ne savais qu'une chose : j'avais découvert le point faible de Maria Nikolaevna, je savais de quel côté j'allais la frapper. Et pourquoi ? Mais parce qu'elle était unique, et des pareilles à moi il y en avait des milliers, parce que les robes qui l'avaient tellement embellie et qu'on retaillait pour moi ne m'allaient pas, parce qu'elle ne savait pas ce que sont la misère et la honte, parce qu'elle aime et que moi, je ne comprends même pas ce que c'est.

« Sonetchka, dit Pavel Fédorovitch du salon où ils étaient tous, apportez-moi mes passeports qui sont dans le tiroir du milieu de mon bureau.

– Pour quoi faire ? répondis-je, comme si on m'avait réveillée.

– Ils ne veulent pas croire que j'ai quarante-sept ans. Ils disent plus. Je veux prouver. »

Là-bas ils poursuivaient une conversation futile[1], elle était là, et Travine aussi, qui ne soupçonnait rien.

Je m'approchai du bureau, j'ouvris le tiroir. En effet, enfermés dans une grande enveloppe, il y avait là les cinq passeports de Travine : le soviétique, le faux, l'ukrainien, le turc et le passeport Nansen[2] de réfugié. En dessous, il y avait un revolver. Je poussai immédiatement le tiroir... Je ne saurais dire à quel point cette trouvaille m'étonna. Avoir un revolver n'allait pas du tout à Pavel Fédorovitch.

1. ***Futile*** : insignifiante.

2. ***Nansen*** : célèbre explorateur norvégien (1861-1930) qui fit établir par la SDN (Société des Nations) un passeport qui donnait un statut aux réfugiés ou aux apatrides, c'est-à-dire à ceux qui n'avaient plus de nationalité légale.

Je portai les passeports au salon. Il se trouvait que Pavel Fédorovitch avait réellement quarante-sept ans. À le voir, on lui aurait donné plus. Maria Nikolaevna souriait sans rien dire.

« Ber est à Paris. » Si je prononçais ces mots, Pavel Fédorovitch me tuerait peut-être avec ce revolver. Pendant notre voyage il n'y avait pas de revolver. Au départ de Constantinople – j'avais moi-même fait les valises de Pavel Fédorovitch – il n'y avait pas de revolver. Il l'a acheté à Paris. Quand ? Pour quoi faire ?

Cependant, la conversation absurde se poursuivait au salon. À dix heures passées, une amie de Maria Nikolaevna et son mari vinrent la chercher et l'emmenèrent quelque part. Pavel Fédorovitch et trois de ses visiteurs se mirent à un poker silencieux, et je restai avec le quatrième des invités, un homme âgé et chauve, qui s'appelait Ivan Lazarevitch Nersessof. Il fumait, et moi je restais là en attendant qu'il s'en aille. Il n'aimait pas le poker, il jouait au chemin de fer, aimait les voyages en avion (ce qui, à l'époque, était une chose relativement rare), il était veuf et habitait un hôtel particulier qui lui appartenait, non loin de chez nous.

Il fumait et ne disait rien, dans un oubli paresseux, oriental, du monde entier ; ses yeux ensommeillés me fixaient sans me voir semblait-il.

« Très difficile, dit-il soudain.

– Qu'est-ce qui est difficile ?

– Très difficile, répéta-t-il. Se coucher de bonne heure, se lever de bonne heure. C'est une mauvaise habitude que de passer la nuit. Boire. Manger. Ne pas se promener. Rester couché.

– Oui, dis-je.

– L'air, dit-il, de nouveau. Le soleil. Autrefois, j'aimais. Oublié maintenant.

– Vous devriez fumer le narguilé [1], dis-je. Vous avez essayé ? »

Il baissa affirmativement les paupières.

« Venez, dit-il au moment où je crus qu'il était enfin assoupi. Pavel Fédorovitch, laissez la demoiselle sortir avec moi. »

---

1. ***Narguilé*** : pipe orientale.

Pavel Fédorovitch nous tournait le dos et ne se retourna pas.

« Je vous en prrrie, je vous en prrrie ! – il était en train de réfléchir. Mais où ? Sortir ? Avec Sonetchka ? Sonetchka, mais en avez-vous vraiment envie ? »

Je n'étais pas encore habillée lorsque Pavel Fédorovitch entra dans ma chambre sans faire la moindre attention à mon geste pour cacher mes épaules.

« C'est un homme parfaitement correct. Mais ne buvez pas trop, ou vous aurez des nausées. C'est un homme parfaitement correct. Et très ennuyeux. Dansez un peu avec lui. »

Nersessof me conduisit à la voiture. Le chauffeur se réveilla. Nous prîmes place. Je portais ma robe bleue.

« Vous êtes gentille, très gentille. Si laide et si gentille, dit-il. Si petite et si vilaine. »

Et il rit. Moi aussi je ris.

Nous arrivâmes dans un restaurant qui était alors à la mode, et aussitôt commença un souper long, distingué et indigeste[1]. Je buvais. Nersessof buvait. Pourquoi avait-il eu besoin de moi ? Sans doute ne s'était-il pas posé cette question. Peut-être était-il bon et avait-il eu pitié de moi. Ou bien avait-il eu envie de tuer encore une nuit sans sommeil ? Je ne savais ni me parfumer, ni me passer la poudre sur le visage, les garçons du restaurant me regardaient avec compassion.

« Et vous n'avez jamais été amoureuse de personne, Tanetchka ? » me demanda Nersessof. Je me rappelai mon existence – Evguéni Ivanovitch qui était parti et n'est pas revenu, un visage tendre et à peine connu dans un wagon entre Pétersbourg et Moscou, que je n'ai pas revu, mon étudiant de première année à Rostov dont Maria Nikolaevna s'est tellement moquée, et c'était tout.

« Ce n'est pas Tanetchka, mais Sonetchka, répondis-je, et je bus encore.

---

1. ***Indigeste*** : difficile à digérer, lourd.

– Il faut qu'on vous marie, ma chère, disait-il, et qu'il y ait des mioches[1]...

185 – Ce n'est pas Oletchka, mais Sonetchka », répondais-je à cela, et je riais de moi-même.

Très tard juste avant l'aube, il me reconduisit, me baisa la main et me remercia pour cette « folle nuit de cabaret ». Je ne trouvai pas la sonnette tout de suite, et lorsque la porte d'entrée s'ouvrit, il me 190 sembla que quelqu'un était là, dans l'obscurité. Je cherchais la minuterie. Je sentais qu'il y avait là quelqu'un, debout tout près de moi, et je commençais à avoir peur. J'avais laissé la porte ouverte. Soudain, quelqu'un sortit et la ferma de l'extérieur. J'allumai la minuterie.

195 En haut, les visiteurs étaient partis, Maria Nikolaevna n'était pas encore rentrée. Pavel Fédorovitch était seul dans le salon. C'était la tabagie[2], le tapis était froissé.

« Pourquoi ne dormez-vous pas ? demandai-je.

– Pas envie, répondit-il. Eh bien, comment vous êtes-vous 200 amusée ? »

Soudain, je fis entendre un sanglot.

« Je vous en prrrie, je vous en prrrie ! cria-t-il, comme tout à l'heure, lorsqu'il réfléchissait pendant sa partie de cartes. Allez vite vous coucher. Vous avez besoin de rattraper du sommeil. »

205 Et il me poussa vers la porte, comme s'il avait peur que je ne dise quelque chose de trop.

---

1. ***Mioches*** : enfants (familier).
2. ***Tabagie*** : ici, endroit où l'on a beaucoup fumé.

[VIII]

Il est possible que si, pendant ces semaines, Maria Nikolaevna avait changé de visage et d'âme, si elle avait souffert, et de telle façon que tout le monde, dont moi, l'eût remarqué, si elle était tombée malade ou avait perdu sa voix – je ne sais pas –, mais il est possible que cela m'eût suffi. Mais je ne remarquai rien, sauf cette espèce de douceur qui lui était venue, et, par moments, un regard inquiet. De nouveau elle était gentille et prévenante envers Pavel Fédorovitch, de nouveau elle travaillait beaucoup et avec application; par périodes, elle embellissait d'une façon éblouissante, et elle poursuivait son existence avec assurance et en toute liberté. Et je sentais que je m'effaçais de plus en plus devant elle, alors qu'elle grandissait en tant que cantatrice et que, physiquement et spirituellement, elle approchait d'une espèce de point focal [1] de son existence, point qu'elle pourrait faire durer pendant de longues années avec son intelligence, sa beauté et son talent.

Il y avait, dans son équilibre, quelque chose qui m'émerveillait jusqu'à l'effroi, jusqu'à la répugnance [2] pour elle. Je ne doutais pas qu'elle trompât Pavel Fédorovitch, mais elle le faisait d'une façon qui n'était pas ordinaire, et lui, inconsciemment sans doute, l'y aidait lui-même: jamais il ne l'interrogeait, la dispensant ainsi de mentir et ne l'humiliant pas – elle ne faisait que se taire. Je ne doutais pas non plus qu'entre Ber et elle il n'y avait pas une «aventure» – appliqué à elle, ce mot était aussi absurde qu'une béquille qu'on aurait tout à coup accrochée à son corps étonnamment «juste» et régulier – mais un amour long, difficile et peut-être sans issue. Et malgré ces sentiments insolubles, elle continuait à

1. ***Point focal***: moment central, important, essentiel.
2. ***Répugnance***: dégoût.

rayonner d'une espèce de bonheur constant. Et c'est pour ce bonheur constant que je rêvais de la punir.

Il ne m'aurait pas suffi de faire comprendre à Pavel Fédorovitch que Ber était à Paris. Il fallait pouvoir prouver qu'elle le rencontrait… Je ne pensais pas, pour le moment, à la façon dont j'utiliserais ces preuves et comment j'informerais Travine. J'attendais, j'épiais.

Je ne pensais pas à un succès fortuit[1]. C'eût été trop simple : sortir dans la rue et les rencontrer. Plusieurs fois je crus que Maria Nikolaevna allait, d'elle-même, me parler de Ber. Je pense que cela aurait suffi pour que j'abandonne à jamais toute idée de vengeance quelconque contre elle ou de règlement de comptes avec elle, comptes que seul Dieu pouvait acquitter. Ces derniers temps, il devenait de plus en plus rare qu'elle fût avec moi aussi affectueuse qu'autrefois, pendant les premiers mois de notre vie commune. Mais parfois cela arrivait tout de même. J'étais assise devant le piano, elle était debout derrière moi et posait la main sur mon cou, là où j'ai deux tendons durs et une fossette au milieu. Elle touchait mes cheveux.

« Sonetchka, pensez-vous quelquefois à votre maman ? À Pétersbourg ? À Mitenka ?

– Oui, Maria Nikolaevna.

– Peut-être, un jour, aurons-nous de leurs nouvelles. Voilà qui serait bien ! »

Je dis :

« Il y a des gens qui arrivent de Pétersbourg. Une lettre peut arriver aussi. »

Elle répondit vivement :

« Quelle lettre ! Vous n'y pensez pas ! Les gens fuient sur la glace, à travers la Finlande… »

C'est ainsi que je sus que Ber avait fui vers elle à travers la Finlande.

---

1. ***Fortuit*** : qui arrive par hasard, d'une manière imprévue.

Comme je l'ai dit, Pavel Fédorovitch partait pour son bureau à
60 deux heures. À trois heures passées, Maria Nikolaevna s'en allait. Si elle avait quelqu'un chez elle, elle disait : je vais revenir bientôt. Et l'invité ou les invités – que d'ailleurs personne ne considérait comme des invités – restaient, tapotaient sur le piano, parcouraient les journaux, jouaient aux dames. Dora ou moi leur appor-
65 tions le thé.

J'avais, à l'avance, pensé à tout. Je ne caressais pas l'espoir de tout apprendre dès la première fois où je la suivrais. La première fois où je sortis derrière Maria Nikolaevna et la suivis dans la rue, à une trentaine de pas, je ne pus aller plus loin que le coin de la rue,
70 tant j'avais peur d'être vue. Deux jours après, je sortis de nouveau. Notre rue en croisait une autre, et celle-ci donnait sur une place, grande et silencieuse, avec un monument au milieu. D'un côté, il y avait une pâtisserie, de l'autre trois cafés, côte à côte ; deux de ces cafés, qui faisaient angle, étaient spacieux et clairs, celui qui était
75 au milieu était plus sombre et plus miteux [1], de sorte que si on avait envie d'entrer, on entrait sûrement dans l'un des deux premiers, et certainement pas dans celui du milieu où, sans doute, une tasse de mauvais café coûtait vingt-cinq centimes moins cher que dans les établissements voisins.

80 Maria Nikolaevna arriva à la place. Pensant qu'elle allait monter dans un taxi, je contournai la place pour prendre le dernier taxi de la file et la suivre, mais Maria Nikolaevna dépassa la station de taxis, elle entra directement par l'étroite porte du petit café du milieu. Et je retournai à la maison.

85 Lorsque je me précipitai dans l'appartement, j'avais encore une ombre de doute. Je me rappelais le numéro de téléphone de Ber. Je l'appelai. Non, il n'était pas chez lui, il était sorti il y a environ une heure. À quelle heure doit-il rentrer ?

À ce moment j'entendis que quelqu'un mettait une clef dans
90 la serrure de la porte d'entrée. Je raccrochai, le téléphone tinta

1. ***Miteux*** : en piteux état, d'apparence misérable, minable.

légèrement. Je me mis debout près de la porte, j'étais cachée par un double rideau. Je vis Pavel Fédorovitch. Il entra, l'air coupable de se trouver à la maison à une heure aussi inhabituelle.

Son premier regard fut pour le portemanteau. Il n'y avait pas d'invités. Il poussa un soupir de soulagement. Il me dépassa pour aller dans le salon et, de là, dans la chambre de Maria Nikolaevna. Je le suivais à pas de loup, je n'avais presque pas peur : s'il s'était retourné, j'aurais tourné cela en plaisanterie. Il resta là assez longtemps, tel qu'il était en pardessus et chapeau, puis il passa par le couloir dans la salle à manger et regarda deux fois la pendule. « Sonetchka ! » cria-t-il.

Je répondis de ma chambre.

« Non, ce n'est rien... J'avais oublié... Il a fallu revenir. »

La porte claqua. Il était parti. Avec une inconsciente angoisse je me précipitai dans son bureau, vers le tiroir. Non, le revolver était à sa place. Comment ai-je pu avoir une idée aussi bête ! Qui, à part moi, pouvait faire de sorte qu'il le prenne et qu'il tire ? Mais mon heure n'était pas encore venue.

Si seulement j'avais pu régler mes comptes autrement – l'attaquer ouvertement, lui prendre Ber peut-être, faire que sa voix pâlisse à côté de mon jeu, que près de moi elle n'existe pas, ne serait-ce que pour une seule personne. Mais je n'avais rien. Je devais me venger brutalement.

Je me rappelle la journée qui suivit. Le matin, elle fit des vocalises, il y avait deux invités français pour déjeuner. Pavel Fédorovitch leur faisait la conversation, leur servait des vins fins. Chacun parlait de sa cave. Puis les hommes s'en allèrent. La couturière arriva pour un essayage. Ensuite...

Je sortis la première. J'arrivai jusqu'à la place, je la traversai et j'entrai dans le café sombre et étroit. Il y avait des rangées de tables, à gauche et à droite, et un passage étroit entre les deux, et au bout il y avait une cloison. J'allai derrière la cloison. Là il faisait encore plus sombre. Assise à la première table, je commandai une bière et j'ouvris un journal. Mon calcul se révéla juste – dix minutes

125 plus tard André Grigorievitch Ber, coiffé du même chapeau, la même canne à la main, entra et s'installa dans la première salle, tout près de la cloison. Je le voyais à travers les arabesques transparentes du verre dépoli, à moins d'un mètre de moi-même. On n'entendait rien, il pleuvait derrière les carreaux ; c'était cette heure 130 particulière à Paris lorsque, au début du mois de février, ce n'est ni le jour ni le soir, et on dirait que le temps passe plus lentement, et que la ville est plus triste.

… Maria Nikolaevna s'assit à côté de lui, on leur servit quelque chose. Elle était là. Je ne pouvais encore y croire. Il prit ses deux 135 mains, leur retira les gants, les embrassa longuement.

« Ne pleure pas », dit-elle tout à coup.

Il y eut un long silence.

« J'ai les mains mouillées de tes larmes », dit-elle de nouveau.

Une grosse pendule faisait tic-tac au-dessus de moi, dans un 140 coin sombre ; un camion passa. Le gros patron sommeillait derrière le comptoir de zinc – et c'était tout.

« Je ne peux pas, dit-elle. J'ai donné ma parole à Pavel Fédorovitch. Je ne peux pas. »

Il dit :

145 « Toi aussi, tu pleures, ton café est froid et il est sans doute salé. »

Elle remua la cuillère dans son verre. Dans l'immobilité de ces grandes silhouettes sombres il y avait quelque chose qui ne ressemblait pas à la réalité.

150 « Dis-moi quelque chose, dit-il. Souris-moi. »

Mais, sans doute, sa voix et ses lèvres ne lui obéissaient pas.

« Je ne peux pas le quitter, entendis-je. C'est comme si j'allais le tuer. Et je ne peux pas non plus le tromper.

– Alors c'est moi qui irai le tuer », dit-il en chuchotant.

155 De nouveau elle garda un long silence.

« Je veux venir ici pour te regarder. Et toi aussi, viens me regarder. »

Il la regarda longuement.

« Attends, dit-il tout à coup, et il sourit. Crois-tu vraiment que
160 cela puisse durer ainsi, et que nous ne serons jamais ensemble ? »

Elle appuya sa joue sur sa main, à la manière paysanne. La pendule faisait tic-tac, le temps passait, quelqu'un entra, but un verre au comptoir, les monnaies tintèrent. Il partit.

Et lorsque, soudain, la lumière électrique jaillit au-dessus du
165 comptoir, au-dessus d'eux et de moi, Maria Nikolaevna se leva et partit. Une minute après, Ber appela le patron, paya et sortit aussi. Deux autres lampes s'allumèrent. Dehors, il faisait tout à fait noir.

Je sortis comme hébétée [1]. Il n'y avait personne au monde avec qui j'aurais pu pleurer. Il n'y avait personne au monde... Des rues,
170 des coins, des becs de gaz [2]... Je ne reconnaissais rien. J'arrivai à la maison, je sonnai. Dora m'ouvrit la porte. Maria Nikolaevna était chez elle, et au salon il y avait Nersessof.

Je restai longtemps dans la porte à le regarder, et lui me regardait. Peut-être avait-il le droit de dire que nous étions amis. Il était
175 le seul, parmi les relations des Travine, à connaître maintenant mon prénom et ne plus s'y tromper ; une fois, un soir, il m'avait prise en pitié.

Je m'assis devant lui. Je pensais : et s'il avait été mon mari, ou seulement un ami intime ? Ou, si ce n'est lui, quelqu'un d'autre,
180 pour ne pas être seule, toujours seule, mais être deux, avec quelqu'un, et pour que, de temps en temps, cela ressemble... Je lui aurais ciré ses chaussures le matin, je lui aurais repassé ses mouchoirs, essuyé son rasoir humide. Je l'aurais attendu pour dîner, quelquefois je me serais serrée contre lui, pour que mon corps
185 sente sa chaleur.

Un homme vieux, chauve, était assis devant moi.

« D'où venez-vous ?

– Je me promenais, Ivan Lazarevitch, répondis-je machinalement.

---

1. ***Hébétée*** : abrutie, stupéfaite.

2. ***Becs de gaz*** : réverbères, lampadaires à gaz utilisés autrefois.

190 – Je suis entré en passant. Les Disman vont venir, et Pavel Fédorovitch va rentrer. On va dîner. »

Dora mettait le couvert dans la salle à manger. Maria Nikolaevna lui donnait des instructions. Je me mis debout, j'allai dans le bureau de Pavel Fédorovitch en traînant les pieds avec 195 difficulté, sans allumer j'ouvris le tiroir du bureau et j'en sortis le revolver. Marchant doucement, je sortis dans le couloir, passai dans ma chambre et cachai le revolver sous l'oreiller.

J'avais décidé de tuer cette nuit Pavel Fédorovitch.

[IX]

Le soir nous avions des invités, une dizaine de personnes, mais cette fois il n'y eut pas de partie de cartes : Maria Nikolaevna chantait.

Elle ne refusait jamais de chanter quand on l'en priait, mais ce 5 soir-là, il me sembla qu'elle y consentait à contrecœur. Les invités étaient installés dans le coin du salon où il y avait une lampe et de profonds fauteuils blancs. Lialia Disman, ayant jeté sur le tapis deux coussins, s'allongea dessus ; certains étaient dans l'ombre, Pavel Fédorovitch était à la première place sur le côté, je voyais 10 son visage. Je voyais que de temps en temps, au cours d'un silence, il se levait, offrait à quelqu'un un cendrier ou une orange, attrapait dans la corbeille un couteau à fruits et le passait, versait dans les verres la boisson servie dans une immense soupière en verre dans laquelle, comme dans un aquarium, flottaient des mor-15 ceaux d'ananas et de pêches.

J'étais au piano. Elle était à côté de moi. Elle était vêtue d'une robe sombre, elle était plus pâle que d'habitude. Sa voix résonnait merveilleusement, comme toujours et peut-être comme jamais – mais s'il y avait une personne qui, ce soir-là, ne pouvait 20 l'entendre, c'était moi.

La libérer de Pavel Fédorovitch ? Dès les premiers sons qui retentirent au-dessus de moi je compris que c'était un rêve inutile, venu par hasard dans un moment de faiblesse, après sa conversation avec Ber que j'avais surprise. Non, c'est moi-même qui avais 25 besoin de me libérer d'elle, le temps était venu de la trahir, pour que Travine fasse justice, et de ce fait m'affranchisse pour toute ma vie.

« Demain », me dis-je. Et peu importe qui des deux il tuera. Mais il leur réglera leur compte, et j'en serai la cause, moi que

personne n'écoute et que personne ne remarque, moi qui suis sans
30 nom et sans talent. Le voilà assis, cet homme solide et sensé, ce «marchand» qui ne souffrira pas d'être refait et trompé, le voilà avec sa lourde poigne vitale, pour qui tous nos «permis» ou «pas permis» sont risibles, qui, sans hésiter, a, toute sa vie, marché sur les autres pour faire son chemin et maintenant ne cédera rien de ce
35 qui est à lui. Demain il saura tout.

Mais comment ? Comment l'informer ? – il fallait y réfléchir.

Pendant les deux dernières semaines il s'était mis, je ne sais pourquoi, à m'éviter. Deux fois il était parti en voyage et je ne le sus que le jour même du départ, par Dora. Lui écrire une lettre ?
40 Mais si je la signais – ce serait la même chose que parler, quant à l'envoyer sans signature – il ne la croirait pas. Il était révolu le temps où les gens croyaient aux lettres anonymes. Au début, on en périssait, après elles mettaient de mauvaise humeur. Maintenant, on en rit. Lui téléphoner à son bureau ? Il reconnaîtra ma
45 voix et ce sera la même conversation, mais simplifiée et plus brutale... Mais il fallait, le plus vite possible, remettre à sa place le revolver que j'avais pris, et attendre jusqu'au lendemain matin.

C'est ainsi que je pensais, ou plutôt que je saisissais par moments certaines pensées, pendant que la voix de Maria Niko-
50 laevna me déchirait le cœur et que mon regard se portait là où Pavel Fédorovitch, renversé et immobile sur son siège, avec une dose de gravité qui lui était venue récemment, était assis.

«Assez, je suis fatiguée», dit Maria Nikolaevna.

Mais personne n'avait encore envie de s'en aller. Un jeune
55 pianiste aux joues rouges joua, avec pétulance [1], deux études [2] de Chopin. Lialia Disman chanta, avec son contralto [3] un peu rude, quelques romances que Maria Nikolaevna qualifiait de «suspectes».

---

1. ***Pétulance*** : vivacité, fougue.
2. ***Études*** : compositions musicales écrites en principe pour exercer l'habileté de l'exécutant.
3. ***Contralto*** : voix de contralto, la plus grave des voix de femme.

J'allai chez moi, je portai, avec précaution, le revolver dans le bureau, puis j'aidai Dora à ranger la salle à manger. Il était minuit. Les invités s'en allèrent à minuit passé.

Le lendemain, une conversation à voix haute me réveilla : Pavel Fédorovitch disait à Dora de se dépêcher pour lui servir le café. Pavel Fédorovitch partait pour Londres, en voyage d'affaires. Sa valise était déjà dans l'entrée. Pour longtemps ? Une dizaine de jours. Maria Nikolaevna, qui avait eu à peine le temps d'épingler ses cheveux, était là. Ils se dirent au revoir, il me serra la main.

« Regardez-vous, Sonetchka, me disait Maria Nikolaevna, vous devenez vraiment transparente. Nous devrions changer de genre d'existence, sans cela notre vie est fichue. Hier j'ai chanté dans une pièce pleine de fumée – je ne vaux rien après cela ! Il ne faut ni boire du vin, ni avaler avec appétit toutes sortes de choses nuisibles… »

Elle trempait une biscotte dans son café, assise en face de moi.

« Et il ne faut pas faire de caprices, et il y a encore beaucoup de choses qu'il ne faut pas faire – être triste, par exemple. Et moi, quelquefois, je suis triste. Cela vous étonne ? Aujourd'hui, Sonetchka, j'ai eu un mauvais rêve, j'ai rêvé que toute ma figure se couvrait de cheveux ; cela a commencé par le front, les yeux, le nez, les joues – et si vite. Je me suis réveillée parce que je criais. »

Elle a bavardé longtemps, je ne répondais presque pas. Le départ de Pavel Fédorovitch m'avait déconcertée. Puis arriva Lialia Disman – la veille, elle avait oublié ses gants chez les Travine. Elle resta déjeuner, raconta deux histoires drôles, dont l'une me demeura incompréhensible, et Maria Nikolaevna rougit et dit :

« S'il te plaît, fais attention : Sonetchka est encore une fillette. »

À deux heures et demie, Maria Nikolaevna m'envoya à la bibliothèque, et de là, prendre des billets pour un ballet. Il pleuvait à verse, de sorte que mon parapluie était trempé quand j'arrivai au coin de la rue, et je décidai de prendre un taxi. En une heure, ses commissions étaient faites. Lorsque je sortis du théâtre, un faible soleil essayait de percer l'air humide de février, et un pâle arc-en-ciel descendait d'en haut. J'allai vers l'arrêt de l'autobus. Tout ce que je faisais ce jour-là, je le faisais en automate, je ne me sentais pas, je ne pensais à rien d'autre qu'à Pavel Fédorovitch qui était parti pour dix jours. Ce qui s'ensuivait, je ne le savais pas encore.

Je descendis de l'autobus près de la pâtisserie sur notre place. L'arc-en-ciel ruisselait quelque part très haut, là où transparaissait déjà un azur presque printanier. Je contournai le monument. Devant le café où, à cette heure, se trouvaient Maria Nikolaevna et Ber, une énorme flaque d'eau bleu ciel étincelait.

Ils étaient là-bas. Ces rues, ce trottoir, ces fenêtres n'existaient pas pour moi il y a quelques jours seulement, et maintenant leur vue m'envahissait d'une faiblesse vertigineuse, d'une espèce d'inexplicable douleur. Il valait mieux ne pas voir tout cela : j'ai attendu deux ans, j'attendrai bien dix jours encore. Et cependant, je ne détournais pas mes yeux, je demeurais immobile, serrant contre la poitrine les livres et le parapluie ; la flaque d'eau bleu ciel avait la forme d'une feuille de chêne... Des arbres nus laissaient tomber dedans des gouttes claires et perlées... Sous les arbres, il y avait un banc mouillé et comme verni. Et sur ce banc, Pavel Fédorovitch était assis.

Je m'étonnai qu'il fût là, alors que le matin même il devait partir pour Londres, mais ce qui m'étonna davantage, c'était qu'il restât là non seulement sans aucun signe de sa componction[1] satisfaite de tous les jours, mais aussi dans une attitude étrange – qui ne lui était pas du tout habituelle – de lassitude mortelle. Et je compris pourquoi je ne l'avais pas reconnu aussitôt.

J'allai derrière le monument et y restai quelque temps. Quand je ressortis, Travine n'était plus là. Il n'était pas non plus sur le trottoir, il était parti incroyablement vite, et si j'avais été dans un

1. ***Componction*** : gravité qui manque de naturel.

125 était différent, j'aurais peut-être douté, tout simplement, de l'avoir rencontré. Mais tout ce que j'avais vu autour de moi – le landau poussé par une négresse en châle vert, le kiosque à journaux aux couleurs bigarrées [1], l'arc-en-ciel – m'était apparu d'une façon si nette que je ne doutais pas que Pavel Fédorovitch venait d'être
130 assis sous les arbres en regardant droit devant lui la porte vitrée avec son inscription « Liqueurs de marque ». Donc, il était revenu et peut-être était-il déjà à la maison. Mais où donc était sa valise ? S'il n'a pas déjeuné, Dora lui aura-t-elle servi à manger ? Voici, enfin, le moment venu de lui dire tout, de rester seule avec lui,
135 face à face. De le faire revenir sur cette place au moment où les deux autres allaient se quitter.

Je courais vers la maison, sentant qu'il fallait se dépêcher, que la vie qui était là, quelque part à côté, allait me dépasser ; que les nuages allaient couvrir le ciel, que le crépuscule allait tomber ;
140 que les becs de gaz allaient s'allumer, comme pour leur rappeler qu'il était temps de se séparer. Je laissai se fermer, lourdement, la porte d'entrée, l'ascenseur s'éleva, lent et silencieux. J'avais une clef. J'ouvris la porte et je vis le pardessus et le chapeau de Pavel Fédorovitch accrochés à la patère.

145 Je me souviens que je passai la main sur la manche du pardessus – il était complètement trempé. Je pénétrai dans le salon. Le piano demeurait ouvert, le lilas blanc de la veille avait roussi et penchait. Je m'approchai de la porte du bureau. Il n'y avait, là-bas, aucun bruit.

150 « Pavel Fédorovitch », dis-je doucement. Il n'y eut pas de réponse.

« Pavel Fédorovitch, puis-je entrer ? » Et je frappai deux fois.

À ce moment, j'avais le sentiment très net que je n'aurais même pas le temps de m'installer dans le fauteuil de cuir près de la table,
155 que je dirais tout dès le pas de la porte, et que s'il me crachait au visage, je prendrais sur moi et ne dirais rien.

1. ***Bigarrées*** : variées, bariolées.

Mais derrière la porte, la réponse ne venait pas.

Alors j'entrouvris.

Pavel Fédorovitch était assis devant la table. Le jour était tombé. Il demeurait assis, penché sur le tiroir du milieu qu'il avait ouvert et y regardait quelque chose avec attention. Son bras gauche pendait entre le fauteuil et la table, le bras droit était posé devant lui.

« Pavel Fédorovitch ! » criai-je. Mais il ne bougea pas.

Alors je vis qu'il était mort, et que sa main droite, tombée sur la table, serrait le revolver.

Je criai. Dora, qui, dans la cuisine séparée du bureau par trois portes, n'avait pas entendu le coup de feu, se précipita à mon cri. Elle perdit contenance – je ne sais pas ce qui l'effraya le plus – le cadavre de Pavel Fédorovitch assis dans son bureau, ou mon cri prolongé, qu'elle n'arrivait pas à arrêter, et qui durait toujours. Quand j'y pense, j'ai l'impression qu'il dura trois jours. En réalité, Dora pensa à me jeter de l'eau froide au visage, et je me calmai. Dix minutes après, elle m'allongea sur le divan, au salon, et j'y restai – là encore je ne me rappelle pas combien de temps, mais probablement jusqu'au retour de Maria Nikolaevna, bien que j'aie l'impression, maintenant, que j'y restai très, très longtemps et même comme en dehors du temps lui-même.

Cette demi-heure me semble la plus insupportable de mon existence, et non seulement de la mienne. Je pense que malgré toute l'horreur et l'angoisse de l'existence, neuf sur dix des êtres humains n'ont jamais connu ce que j'ai connu alors. Entre « c'est arrivé » et « cela aurait pu ne pas arriver », entre « c'est arrivé » et « cela ne pouvait ne pas arriver », mon cœur frémissait et chutait quelque part. Je ne puis ni me rappeler, ni expliquer ce que je ressentais (ou pensais – c'était pareil) alors… À propos de moi-même, du destin, des gens, du bonheur, et de nouveau à propos du destin et même de cette balle que, peu de temps auparavant, j'avais sous la main, avec laquelle je visais dans l'espace et qui, d'elle-même, avait trouvé la place à elle destinée.

« Soyez mon amie, Sonetchka, dit au-dessus de moi une voix que je reconnaîtrais dans mille ans et dans l'inconscience complète – aidez-moi. »

En me prenant par les deux mains, Maria Nikolaevna m'obli-
195 gea à me lever. Dans la porte se tenaient des inconnus.

[X]

Tout changea, la vie des deux dernières années, l'inquiétude, la filature, tout était fini, et tout ce qui s'était accompli s'était accompli sans moi, en dehors de moi, comme si je n'avais même pas existé. Je revenais vers ce qui était au début avec la sensation d'une lassitude insurmontable dans le cœur et la conscience de mon inutilité totale. Les gens et les passions étaient passés devant moi – je les voyais de mon coin, j'aspirais à les rejoindre pour gâcher quelque chose à quelqu'un, pour aider quelqu'un, pour m'affirmer dans cet acte, et j'ai été évitée, on ne m'a pas prise dans ce jeu qui s'est terminé par le suicide de Pavel Fédorovitch. Il savait tout avant moi, sans moi il avait compris ce qu'il devait faire, il n'a pas réglé ses comptes avec Ber et Maria Nikolaevna, mais il lui a laissé le passage pour qu'elle continue à vivre comme elle le voulait et à être heureuse avec qui elle voulait. Pour qu'elle fût libre.

Je pris goût à la conversation avec moi-même. En partant de mes monologues d'alors, je suis, peut-être, arrivée à ces Mémoires. Personne ne m'entendait. Pendant ces nuits lunaires de février, je demeurais devant ma fenêtre sans allumer, sans tirer les rideaux. La rue s'argentait. Je croyais voir Pétersbourg, maman, notre vieux et long piano, et de part et d'autre – nos deux lits (pendant les mois d'hiver nous dormions dans la même chambre) – nos deux lits étroits avec leurs couvre-lits en piqué [1] blanc et, attachées aux boules, les icônes [2] que, durant tant d'années, je n'avais pas trouvé le temps d'examiner pour de bon. La lune blanchissait l'asphalte, il gelait un peu. Il me semblait voir mon enfance à N., le portillon [3]

1. ***Piqué*** : tissu, souvent de coton, à côtes ou dessins en relief.
2. ***Icônes*** : images sacrées, peintures religieuses dans l'Église d'Orient.
3. ***Portillon*** : petite porte.

grinçant de la cour, le chien du propriétaire qui me faisait peur, la cuisinière qui attendait avec moi que maman rentre dîner après ses leçons, la pauvreté, la tristesse, l'abandon de notre existence. La rue dans Paris était silencieuse et vide ; la lune et le froid étaient 30 derrière la fenêtre. Il me semblait voir la vie bouger à côté, frotter et moudre[1] les êtres humains, mais sans me prendre, quoi que je fisse pour m'imposer.

Derrière la cloison, il n'y avait pas de Pavel Fédorovitch. Maria Nikolaevna était seule, mais les gens qui, pendant ces derniers 35 mois, ne les laissaient pas en tête à tête, continuaient maintenant à l'entourer, nuit et jour. Ils ne lui proposaient pas, comme autrefois, de sortir avec eux, n'exigeaient pas, au dîner, des vins fins, ne parlaient pas de courses, de la tournée d'une troupe viennoise ou de Bourse. Tout simplement ils étaient là – Nersessof et Disman 40 fumaient au salon, dans la chambre Lialia Disman, assise à la turque[2] sur le lit, s'essayait à une broderie, quelqu'un remontait la pendule dans la salle à manger ; dans le bureau de Pavel Fédorovitch son adjoint dans les affaires, ancien avocat et membre de la Douma[3], faisait des comptes. Et Maria Nikolaevna ne s'en éton-45 nait pas. Le jour de l'enterrement elle revint du cimetière avec eux tous, le lendemain ils étaient de nouveau réunis dès le matin. Je lui demandai : la présence constante des gens dans la maison ne lui pèse-t-elle pas ? Elle dit que cela lui était égal et que, probablement, elle allait partir bientôt.

50 L'avocat, Nersessof, Disman disaient entre eux que les affaires de Pavel Fédorovitch avaient chancelé beaucoup ces derniers temps. Maria Nikolaevna le savait. Oui, en effet, les affaires de Pavel Fédorovitch allaient, en dernier lieu, moins bien qu'avant, elle pouvait le pleurer la conscience tranquille en se disant que ce 55 n'était pas elle mais l'argent qui était responsable de sa mort. Et cependant elle savait fort bien ce qui, précisément, en était la cause.

1. ***Moudre*** : broyer, écraser.
2. ***À la turque*** : en tailleur.
3. ***Douma*** : nom du Parlement russe.

Elle se mit à me parler une semaine après l'enterrement. À ce moment, certains cessèrent leurs visites, et s'il y avait des étrangers, c'était seulement au déjeuner et au dîner. Pendant la nuit, 60 Maria Nikolaevna venait dans ma chambre, s'asseyait sur le lit.

« Vous ne dormez pas, Sonetchka ?

– Non, Maria Nikolaevna.

– Je peux rester un peu ? J'aime bavarder avec vous. Poussez-vous un peu. »

65 Je demeurais couchée, le cœur battant, et je la regardais. La lumière de la chambre voisine tombait sur ses mains. Elle était assise emmitouflée dans une robe de chambre blanche, chaude, avec sa grosse natte dans le dos, et ses mules retombant de ses pieds qui étaient assez grands et hâlés.

70 « Que dois-je faire, Sonetchka ? disait-elle doucement, en serrant les mains et en me regardant. Voilà que la mort m'a touchée, et cependant je n'arrive pas à perdre le sentiment d'une espèce de bonheur constant. Dieu seul sait d'où il me vient et comment il va se terminer. On peut dire quand même que j'ai eu bien des choses 75 dans mon existence – mais je suis heureuse de l'existence même ! Je ne sais même pas de quoi – de respirer, de chanter, de vivre dans ce monde. Vous me jugez ?

– Non, Maria Nikolaevna.

– ... D'autres diront que je l'ai tué. Mais que puis-je faire si je 80 ne me sens pas coupable ? Et croyez-vous qu'il m'ait jamais jugée ? Au moment dernier, ou à l'avant-dernier, ou à un moment quelconque ? Non, je sais que non, et Dieu le sait aussi... D'où me vient ce sentiment de mon bon droit ? Peut-être que tout le monde l'a, mais les autres le cachent par hypocrisie ? »

85 Je voulais lui répondre. Je réfléchis longtemps, puis je dis :

« Il y a des gens comme ça. Ils ont en eux une espèce de magnificence[1]. Près d'eux, on a peur un peu (ce n'est rien, Maria Nikolaevna, ne le prenez pas au sérieux). Il est rare qu'on puisse

1. ***Magnificence*** : synonyme de richesse, d'éclat, de luxe.

les modifier, les rendre infirmes (en supposant que nous autres sommes infirmes)… Je ne sais l'exprimer : un être heureux, il vit comme au-dessus de tous les autres (et les écrase un peu, bien entendu). Et cela, on n'a même pas à le lui pardonner, parce qu'il l'a comme on a la santé, ou la beauté. »

Elle réfléchit et répondit en souriant :

« Tout de même, Sonetchka, pardonnez-le-moi. »

Nous nous tûmes toutes les deux. Oh, comme elle me devenait de nouveau inaccessible avec ce sourire !

Et voilà que vint le jour de notre séparation : c'était l'été, les fenêtres étaient grandes ouvertes, l'appartement était loué, les meubles transportés dans un garde-meuble ; Maria Nikolaevna partait avec Ber pour l'Amérique où elle avait signé un contrat pour deux ans.

Rien ne rappelait plus notre vie du temps de Pavel Fédorovitch. Peu à peu, Maria Nikolaevna rompit avec toutes ses anciennes relations, abandonna les affaires de Pavel Fédorovitch à leur sort, renonça aux réceptions, aux sorties, aux calculs d'argent. Elle ne comptait plus que sur elle-même, et cette indépendance la rendait encore plus forte et plus jeune ; il y eut en elle cette espèce de charme qu'on remarque chez les femmes indépendantes dont « la société » a fait son deuil et qui paient cette « société » de leur complète indifférence. Ces temps derniers, elle avait beaucoup travaillé avec moi et avec Ber. Maintenant, je connaissais bien cet homme. Il avait cessé d'être pour moi une énigme.

Il était tout entier dans l'avenir, et cela non pas parce qu'il aurait eu devant lui quelque « carrière » ou qu'il fût doué de quelque talent. Il avait à peine trente ans. C'était un homme taciturne[1], ardent, et très nerveux, qui comprenait à demi-mot même un interlocuteur de passage, et qui devinait facilement les pensées d'un être proche. Cette intuition un peu surnaturelle remplaçait toutes les autres qualités : la « musicalité » en musique,

1. ***Taciturne*** : qui parle peu ou qui n'est pas d'humeur à parler.

la poigne pratique dans l'existence. Il ne « promettait » rien, mais en le regardant, en pensant à lui, on avait l'impression (et je n'étais pas seule à l'avoir) qu'il avait peut-être devant lui un destin qui n'était pas tout à fait ordinaire.

125 Maintenant, il devenait peu à peu l'accompagnateur et aussi l'impresario de Maria Nikolaevna. Et dans peu de temps il allait devenir son mari. Comme cela arrive très rarement, cet amour laissait transparaître une vérité profonde et fidèle, où il n'y avait de place ni pour leur jalousie, ni pour nos doutes. Maria 130 Nikolaevna l'aimait... Cependant, il me semblait parfois que même sans amour elle aurait été heureuse – vraiment, elle n'avait besoin de personne. Mais elle l'aimait.

Ils partaient, et moi, j'allais m'installer à l'hôtel. Je cherchais du travail. Maria Nikolaevna m'avait fait la promesse de ne pas 135 m'oublier ; elle me laissa de l'argent, elle me recommanda à certains. Et, me serrant dans ses bras, elle me dit que si j'avais envie de retourner à Pétersbourg, cela aussi elle pourrait l'arranger.

Non, je n'avais pas envie de retourner chez maman.

Et la voilà partie ; à la dernière minute, en la regardant, j'eus 140 l'impression qu'elle partait non pas pour l'Amérique des affaires et, en somme, quotidienne, pour y trouver le travail, le succès et le gagne-pain, mais dans quelque pays un peu irréel et évidemment heureux, dont le chemin est interdit aux autres et où on l'attend et où on l'aime depuis longtemps, de même qu'elle aime 145 tout le monde.

Ber qui, autrefois, m'avait prise pour la bonne et m'avait donné deux francs de pourboire, ne me prêtait que peu d'attention et au moment des adieux demeura froid. Moi aussi j'éprouvais envers lui une certaine hostilité. À deux, nous étions à 150 l'étroit auprès de Maria Nikolaevna et je lui laissai le chemin, parce qu'il ne me restait rien d'autre à faire. Maria Nikolaevna me regarda longuement et fixement. Il se peut qu'en me disant adieu elle pensa pour la première fois à moi, à ma vie, à mon amour pour elle.

155 Sur le quai, je demeurai brisée et épuisée par le passé qui avait fui, sans présent, et avec un avenir obscur et vide. Je revins dans l'appartement sans meubles, je pris ma malle (qui venait encore de Russie), un paquet de livres et de partitions, et je demandai au concierge d'aller chercher un fiacre[1]. À cette époque, les fiacres 160 étaient bon marché à Paris ; tout à coup j'étais devenue inquiète et parcimonieuse[2]– dans la malle j'avais soigneusement rangé tous mes chiffons. On mit la malle à mes pieds, je posai à côté de moi les livres et les partitions. Je traversais la ville et je pensais que ce n'était pas possible, que ce n'était pas le même Paris, que je rêvais, 165 qu'il n'était pas possible que je fusse seule dans le monde entier, seule sans un être humain, sans un rêve, sans ce quelque chose qui permet de vivre parmi vous – êtres humains, bêtes, choses…

Trois années se sont écoulées depuis que j'avais pensé ainsi, et pendant cette période bien des fois j'avais le désir soit de me 170 cacher sous terre, comme une taupe, soit de hurler que tout n'est pas bien, n'est pas équitablement arrangé dans le monde… Maria Nikolaevna est toujours en Amérique.

Elle est mariée à André Grigorievitch et n'a pas l'intention de venir en Europe – elle chante à Philadelphie, tous les deux ans 175 elle part en tournée, et on l'aime particulièrement en Californie. Elle m'envoie des lettres, des coupures de journaux (où on parle d'elle), quelquefois de l'argent. J'ai un grand besoin d'argent : je gagne peu – je joue du piano dans un petit cinéma, dans l'une des rues qui donnent sur la porte Maillot[3]. Notre orchestre est 180 composé de trois personnes : moi, le violoniste qui est en même temps chef d'orchestre, et le violoncelliste devant qui est aussi posée la batterie. C'est bizarre, mais c'est Nersessof qui m'avait trouvé cet emploi. C'était presque six mois après le départ de Maria Nikolaevna. Peu de temps après il mourut.

---

1. ***Fiacre*** : voiture à cheval que l'on louait à la course ou à l'heure.
2. ***Parcimonieuse*** : économe.
3. ***Porte Maillot*** : porte de Paris, située à l'ouest.

185 Je travaillais depuis près d'un an dans ce cinéma lorsque, soudain, Mitenka arriva à Paris, venant de Russie. Il me rechercha pour me dire que ma maman était morte, et pour me remettre ses boucles d'oreilles avec des turquoises [1] (et qui n'avaient aucune valeur). Elle avait, je crois, une soixantaine d'années. Elle avait 190 pris froid en allant chercher du ravitaillement quelque part. Mon Dieu, cette vie dure et étrange, à moitié oubliée, continuait là-bas ! Là-bas les gens vivaient comme des fourmis ou comme des loups. En un sens d'une façon plus digne que nous ici…

Mitenka était maintenant marié, sa femme était enceinte et on 195 ne sait pourquoi se cachait de tout le monde. Mitenka était toujours le même : il reniflait et ahanait [2], était mal lavé, mais il était déjà célèbre et d'enfant prodige [3] était devenu un vrai génie.

« Et moi, je joue dans un cinéma », dis-je, parce que j'avais eu envie de parler aussi de moi, sans me contenter de l'écouter.

200 Il pencha sa tête déplumée et me regarda avec tristesse.

« Et vous n'avez pas honte, dit-il enfin en parlant du nez. Vous n'avez pas honte, Sonetchka. Nous attendions tellement de vous ! »

Ma parole, il me confondait avec quelqu'un d'autre – jamais 205 personne n'a rien attendu de moi !

Puis il m'invita chez lui, pour me montrer à sa femme. Elle apparut, confuse, tenant ses mains sur son ventre.

« Voici cette Sonetchka – dit-il – dont je t'avais tant parlé (son visage n'exprima rien). Antonovskaya, Sophia… »

210 Il perdit contenance, ayant oublié le prénom de mon père, et je ne l'ai pas aidé à sortir de ce mauvais pas ; il est vrai que tout cela m'était indifférent depuis bien longtemps.

Vraiment, est-ce la peine de se sentir blessé par sa propre mère parce qu'on vous a craché à la figure dès avant votre naissance ? 215 Il est arrivé – et plus d'une fois – que des offensés de ce genre aient

---

1. ***Turquoises*** : pierres fines d'un bleu tirant sur le vert.
2. ***Ahanait*** : soufflait bruyamment.
3. ***Enfant prodige*** : enfant exceptionnellement précoce et doué.

donné des êtres vrais, des êtres bons et fiers. L'affaire n'est pas dans la naissance, mais dans quelque chose d'autre. Et on aura beau me dire que n'importe quel moucheron n'a pas le droit de prétendre à la magnificence universelle, je ne cesserai d'attendre
220 et de me dire : tu ne peux pas mourir, tu ne peux pas te reposer, il y a encore un être qui se promène sur terre. Il y a encore une dette que, peut-être, tu pourras un jour recouvrer… si Dieu existe.

DOSSIER

- Testez vos connaissances sur la Russie...
- La mélodie des sentiments
- Vocabulaire : faites vos gammes !
- L'écriture de soi
- Maria et Sonetchka : des relations ambiguës
- La voix de la critique
- *L'Accompagnatrice* au cinéma : le point de vue de Claude Miller

Testez vos connaissances sur la Russie...

1. Citez deux grandes villes russes évoquées dans le roman.
2. Quelle est la monnaie russe ?
3. Quels événements bouleversent le pays en 1917 ?
4. À partir de 1922 et jusqu'en 1991, par quel nom désigne-t-on la Russie ?
5. Qui l'expression « Russes blancs » désigne-t-elle au début du XXe siècle ?
6. Qui sont les « bolcheviks » ?
7. Recomposez les patronymes de Maria, fille de Nikolaï Travina, et d'André, fils de Grigori Ber.
8. En Russie, on utilise l'alphabet cyrillique : vrai ou faux ?
9. Quel terme désigne le titre que portaient les empereurs de Russie ?
10. Quel est aujourd'hui le président de la Russie ?

La mélodie des sentiments

Attribuez à chacun des termes suivants un synonyme et expliquez-en le sens :

Détresse • • Admiration
Humiliation • • Ressentiment
Fascination • • Désarroi
Amertume • • Dégoût
Rancœur • • Envie
Inimitié • • Honte
Adoration • • Haine
Convoitise • • Chagrin
Peine • • Envoûtement

Vocabulaire : faites vos gammes !

Mots croisés musicaux

Verticalement

1. Personne qui accompagne au piano un chanteur ou un autre musicien.
2. Chanson sentimentale.
3. En musique, désigne l'ensemble des œuvres maîtresses d'un chanteur ou d'un musicien.

Horizontalement

A. Mélanges confus et désagréables de sons.
B. Terme qui désigne la plus élevée des voix.
C. Concert où se produit un seul artiste, musicien ou chanteur.
D. Suites de sons émis par un chanteur pour se chauffer la voix.
E. Personne qui s'occupe de la carrière d'un artiste.
F. Chanteuse professionnelle d'opéra ou de chant classique.
G. Grand compositeur allemand du XVIIIe siècle.

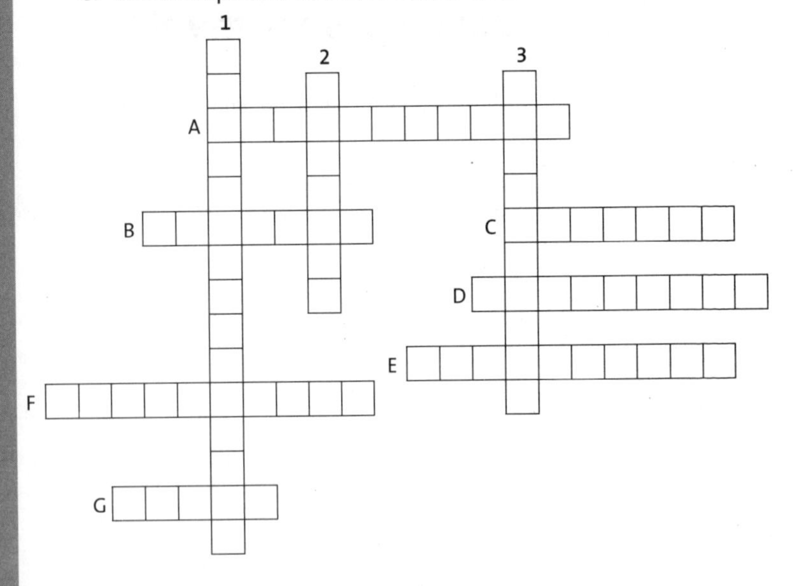

L'écriture de soi

Microlecture n° 1 : l'incipit

Relisez le préambule (p. 31-32) et les premières lignes du « chapitre I » (de « C'est aujourd'hui... » à « je fus son premier et unique enfant », p. 33). Répondez aux questions suivantes en n'oubliant pas de citer le texte pour vous justifier.

1. Le rôle du préambule

A. Identifiez le narrateur.
B. Quelles informations apporte-t-il sur le genre du récit qui va suivre ?
C. Qu'apprend-on sur l'auteur du journal découvert chez le brocanteur ?

2. Une écriture de soi

A. Qui parle au début du « chapitre I » ?
B. Identifiez les différents temps utilisés dans cet extrait. À quels moments renvoient-ils ?
C. Que peut-on en déduire sur le genre littéraire du récit qui commence ?

3. Une autobiographie fictive

A. En quoi peut-on dire que ce récit est une autobiographie fictive ?
B. Quelles modifications le premier narrateur a-t-il apportées au récit ?
C. Quel effet la lecture du seul préambule a-t-elle sur le lecteur ?

Microlecture n° 2 : la voix de Nina Berberova

Lisez le début de l'autobiographie de Nina Berberova, intitulée *C'est moi qui souligne*, écrite entre 1960 et 1966 et publiée en France en 1989, aux éditions Actes Sud. Répondez ensuite aux questions posées en n'oubliant pas de citer le texte pour vous justifier.

Ceci n'est pas un livre de souvenirs. C'est l'histoire de ma vie, une tentative pour la retracer dans l'ordre chronologique et pour en déchiffrer le sens. J'ai aimé la vie et je l'aime toujours, mais le sens que je lui trouve m'importe autant qu'elle-même. Je parle de moi telle que je fus et telle que je suis, et pour parler du passé j'emploie mon langage d'aujourd'hui. Il m'est arrivé, à divers moments de ma vie, d'esquisser mes souvenirs, mais lorsque je parlais de moi, je ne me sentais pas tout à fait à l'aise, un peu comme si je voulais imposer à mon lecteur un personnage importun [1]. Ici, je vais parler surtout de moi, de mon enfance, de ma jeunesse, de mes années de maturité, de mes relations avec autrui. Ma pensée vit à la fois dans le passé comme mémoire et dans le présent comme conscience de soi aux prises avec le temps. Quant au futur, il n'y en aura pas forcément un, ou peut-être sera-t-il bref et anodin.

Dans mon esprit, l'histoire de ma longue vie a un début, un milieu et une fin. Au cours de mon récit, je ferai clairement apparaître le sens que je lui ai trouvé, celui probablement de toute une vie, ainsi que le chemin qui m'y a conduite. Je parlerai de la découverte et de la libération de soi, de la maturité qui nous permet d'y accéder et de la solitude dans la fourmilière plus attirante et plus féconde à mes yeux que celle dans le nid familial. [...]

Comparée à des Mémoires, une autobiographie est une entreprise franchement égocentrique [2]. Dans une autobiographie on parle de soi, dans des Mémoires, on parle d'autrui. [...]

Ici, je me suis efforcée de rechercher le sens de la vie, sans idée préconçue. J'essaie simplement de me comprendre ainsi que mon passé et, pour cela, je rapporte les faits et les réflexions qu'ils m'ont inspirées.

Notez tous les indices qui permettent de dire que ce texte relève bien du genre autobiographique.

Quelles sont les raisons qui poussent Nina Berberova à écrire son autobiographie ?

---

1. *Importun* : qui déplaît, ennuie, gêne par sa présence ou sa conduite.
2. *Égocentrique* : qui est centré sur lui-même ; synonyme d'égoïste, de nombriliste.

Explicitez les définitions des Mémoires et de l'autobiographie données par Nina Berberova, et discutez-les : « Comparée à des Mémoires, une autobiographie est une entreprise franchement égocentrique. Dans une autobiographie on parle de soi, dans des Mémoires, on parle d'autrui. »

Maria et Sonetchka : des relations ambiguës

Microlecture n° 3 : portraits croisés

Dans le « chapitre II », relisez attentivement le passage allant de « Elle avait dix ans de plus que moi » à « Quant à la vie future, elle n'existe pas ! » (p. 44-45). Répondez aux questions suivantes en n'oubliant pas de citer le texte pour vous justifier.

1. La structure du texte

A. Identifiez les différents éléments qui composent chacun des portraits.
B. Sur quel procédé stylistique est construite l'évocation des deux personnages ?
C. Quels sont les temps utilisés dans cet extrait ? Quelles sont leurs valeurs ?

2. Le portrait d'une diva[1]

A. Repérez tous les termes mélioratifs qui qualifient Maria Nikolaevna.
B. De quelles qualités fait preuve la cantatrice ?
C. Relevez et analysez le champ lexical du feu et de la lumière.

3. La voix soumise de l'ombre

A. Appréciez la description que la narratrice fait d'elle-même. Quelle image Sonetchka utilise-t-elle pour se décrire ?
B. Analysez les dernières lignes du passage : qu'éprouve Sonetchka ?

---

1. *Diva* : cantatrice de renom, chanteuse célèbre.

Microlecture n° 4 : la dualité[1] des sentiments

Dans le « chapitre III », relisez attentivement le passage allant de « Jamais encore dans ma vie je n'avais rencontré une femme semblable » à « Pourquoi ne nous a-t-il pas tous faits tels qu'elle il l'avait faite ? » (p. 48-49). Répondez aux questions suivantes en n'oubliant pas de citer le texte pour vous justifier.

1. Une page de méditation

A. Relevez le champ lexical de la réflexion.
B. À votre avis, que traduisent les tournures interrogatives ?
C. À qui s'adresse la narratrice ?

2. La révolte contre l'injustice et l'inégalité

A. Relevez les éléments qui permettent de dessiner la situation de la Russie à l'époque où se déroule l'histoire.
B. À quoi est associée Maria Nikolaevna ? Que représente-t-elle ?
C. Contre quoi se révolte Sonetchka ?

3. L'ambiguïté des sentiments

A. Relevez les termes qui marquent la fascination qu'éprouve Sonetchka pour la cantatrice.
B. Quels sont cependant les autres sentiments qui dominent la narratrice ?

La voix de la critique

Voici un article tiré du *Nouvel Observateur*, hebdomadaire français, daté du 21 février 1986 ; il évoque la publication du roman de Nina Berberova. Lisez-le attentivement et répondez aux questions qui suivent.

---

1. *Dualité* : coexistence de deux éléments de nature différente.

Nina, c'est autre chose !

Un très joli petit roman russe, qui aurait pu être viennois, dans sa concision [1], son extrême unité. C'est l'histoire, très triste et probablement très véridique, d'une pauvre petite pianiste, dans la Russie d'avant 1917, qui fait la connaissance d'une belle chanteuse. Dehors, il fait froid, les gens ont faim, perdent leurs dents. Et la petite pianiste, qui a des bottes taillées dans un tapis, pénètre dans le monde rose, doux et chaud de la belle chanteuse. Elle va vivre dans son ombre, mais plus mal encore que si elle n'était que son ombre. L'argument [2] est mince, la musique absente et la traduction couci-couça. Les rapports entre la chanteuse et son accompagnatrice ne sont pas vraiment représentatifs de ceux qui s'instaurent en général dans cette configuration. Il s'agit plus, en réalité, du ver qui se trouve dans un fruit, si mûr soit-il (car la chanteuse est minée par un amour secret), et de cette espèce de non-existence qui mange [...] le cœur de l'obscure. C'est d'une tristesse absolue, et d'une maîtrise totale. Toujours, la balle perdue va droit au but.

Jacques Drillon © *Le Nouvel Observateur*.

En quoi peut-on dire que cet article est élogieux ?
Quelles sont cependant les restrictions apportées par le journaliste à l'éloge du roman ? Pensez-vous qu'elles soient justifiées ?
Analysez la dernière phrase de l'article. En quoi est-elle surprenante ? Et en quoi vous paraît-elle pertinente par rapport à la fin du roman ?

1. ***Concision*** : qualité de ce qui est à la fois bref et précis.
2. ***Argument*** : ici, synonyme de sujet, d'intrigue.

Voici un autre article consacré à *L'Accompagnatrice* et paru dans le numéro du 29 janvier 1988 de *Télérama*, hebdomadaire français. Lisez-le attentivement et répondez aux questions qui suivent.

Fascinée par la cantatrice qu'elle accompagne au piano, Sonia poussera sa passion jusqu'à la détruire. L'Accompagnatrice *a la force et le désespoir des romans que l'on n'oublie pas.*

Il est de ces petits livres rares, à peine un peu plus de cent pages, qui ont la fulgurance, l'intensité, la force, la beauté des chefs-d'œuvre. [...]

L'Accompagnatrice de Nina Berberova est à ajouter à cette courte liste. À ma connaissance, c'est le seul roman (écrit ?) traduit d'une vieille dame russe de quatre-vingt-cinq ans qui vit actuellement aux États-Unis où elle a enseigné la littérature de son pays natal. L'éditeur signale que Nina Berberova est aussi auteur de critiques et récits.

L'histoire racontée est la simplicité même, la transparence. Une jeune fille pauvre et sans père avouable ni beauté apprend aux côtés de sa mère le même art et métier qu'elle : le piano.

Solitude et détresse de ces femmes oubliées et pour lesquelles la révolution qui se déchaîne, loin d'elles, à Moscou, ne peut rien, n'apporte rien. Un jour pourtant, une porte s'ouvre d'où vient la lumière. La jeune Sonia entre en contact avec une chanteuse soprano qui cherche une accompagnatrice.

Chez elle, tout n'est que « beauté, charme, ordre et volupté ». Maria Nikolaevna a tout pour elle : l'argent, la grâce, le bonheur, le succès, le talent, un mari qui l'aime et l'entoure, veillant jalousement à ce que le plus précieux de ses biens, sa femme, ne manque de rien.

Entre les deux femmes, un fossé. L'une est ombre, l'autre lumière. L'une rayonne, l'autre est repliée sur elle-même. Tant d'injustice dans la distribution divine !

Ce partage inégal pourrait pourtant être compensé, adouci, par l'amabilité de la chanteuse qui permet à la jeune fille pauvre de prendre place à ses côtés dans sa vie.

Ce serait oublier l'humiliation que ressent Sonia de n'être qu'un faire-valoir, un piano terne pour qu'éclate la voix, une servante au service de celle qui naquit pour régner. Humiliation d'autant plus forte que Sonia est éperdue d'admiration, voire d'amour pour cette femme parfaite.

Et, tandis que la révolution de 1917 chasse la cantatrice, son mari et Sonia hors de Russie, une idée germe sous les cheveux ternes de cette dernière. La diva a une faille, un secret, un amour impossible et caché, cet homme à qui un soir d'hiver russe, Sonia a posté une lettre remise par Maria en secret...

Et, peu à peu, comme un collet [1], l'anneau se resserre. Qui sera la victime de cette haine doublée de fascination qui pousse Sonia ? Maria enfin ternie par quelques larmes, ébranlée par une peine profonde ? Son mari maladroit et balourd [2], trop homme d'affaires pour être vraiment honnête ? Sonia guette, épie, parie, joue... perd.

Elle est de celles sur le berceau desquelles ni pères admiratifs, ni fées ne se sont penchés. Elle est des oubliées, des grises, des solitaires. Femme cendre, elle voulait étouffer femme flamme. Elle est des sans-amour qui ne sauront jamais aimer.

Tendu comme une corde de violon, fragile et parfait comme une sculpture de glace, *L'Accompagnatrice* a la concision, la force, le désespoir, la froideur et la passion de ces romans qu'on lit une fois, deux fois.

Et que l'on achète bien plus encore, parce que prêté, on ne vous les rend plus et qu'il est des livres qu'on aime trop pour ne pas avoir simplement envie de les offrir.

Michèle Gazier © *Télérama*.

Après avoir dégagé les éléments constitutifs de l'article, vous vous interrogerez sur le sens attribué au terme « critique » dans l'univers des médias.

Cet article a perdu son titre. Inventez-en au moins trois : l'un sera explicitement élogieux, l'autre utilisera un procédé stylistique spécifique (oxymore, métaphore ou comparaison...), le dernier s'adressera au lecteur pour capter son attention.

1. *Collet* : nœud coulant utilisé comme piège pour prendre – au cou – certains animaux.
2. *Balourd* : personne maladroite et peu délicate.

L'Accompagnatrice au cinéma : le point de vue de Claude Miller

En 1985, Claude Miller, cinéaste français contemporain, lit *L'Accompagnatrice*. Après avoir reçu l'accord de Nina Berberova, il adapte le roman à l'écran. Le film sort en France le 11 novembre 1992 avec, dans les rôles principaux, Romane Bohringer, Elena Safonova et Richard Bohringer.
Voici le début d'un article consacré à *L'Accompagnatrice* de Nina Berberova tiré du *Devoir*, journal canadien de Montréal, daté du 12 décembre 1992 et écrit à l'occasion de la diffusion du film de Claude Miller. Lisez-le attentivement et répondez aux questions qui suivent.

La voix de l'ombre

Normalement, je vous entretiens dans cette chronique de publications récentes, mais une fois n'est pas coutume, et comme vendredi prendra l'affiche dans nos cinémas le film de Claude Miller *L'Accompagnatrice*, j'ai eu envie de relire le roman qui l'a inspiré, celui de Nina Berberova, paru en français chez Actes Sud en 1985. Certains lecteurs refusent de visionner les films tirés des œuvres qu'ils aiment, parce que leur imagination a donné un visage à des personnages et que le cinéaste leur superpose d'autres traits, d'autres expressions. Et puis souvent, estiment-ils, le cinéma dénature [1] une œuvre écrite, la réduit à la surface des images, en lui retirant les réflexions intérieures, la profondeur. Moi, j'aime comparer les films aux romans, voir où le cinéaste a bifurqué pour insérer des scènes de son cru [2], quelles silhouettes il a données à des personnages de papier, s'il a su résister au piège du style littéraire transféré à l'écran.

Inversement, se plonger dans le livre avant ou après avoir vu le film permet de remonter aux sources d'inspiration du cinéaste, surtout quand le roman possède une vraie valeur littéraire, comme ici.

1. ***Dénature*** : change, altère, déforme.
2. ***De son cru*** : de son invention propre.

L'adaptation de *L'Accompagnatrice* fut très libre. Le cinéaste a changé les lieux et l'époque de l'action. Berberova l'avait située en 1920 à Moscou puis à Paris, tandis que Claude Miller devait transposer tout cela sous le Paris de l'Occupation, puis à Londres, en rajoutant et en retranchant plusieurs épisodes. [...]

Odile Tremblay © *Le Devoir*.

Quel est le thème du débat posé par la journaliste dans cet article ?
Quelles sont les deux thèses en présence et qui les soutient ?
Quels sont les différents arguments développés pour soutenir chacune des thèses ?

Voici un autre article écrit au moment de la sortie du film de Claude Miller en France : il est tiré du *Provençal*, quotidien régional, daté du 14 novembre 1992. Lisez-le attentivement et répondez aux questions qui suivent.

L'Accompagnatrice : merci monsieur Miller

Alors que les éditions Actes Sud font paraître ses *Chroniques de Billancourt*, tous les amoureux de l'œuvre de l'écrivain Nina Berberova vont pouvoir trouver avec l'adaptation de *L'Accompagnatrice* au cinéma de solides raisons de s'enthousiasmer.

Le réalisateur Claude Miller et son co-scénariste[1], Luc Béraud ont certes considérablement transformé les lieux, l'époque et le déroulement du récit, mais ils ont su rester fidèles à la violence intérieure d'une intrigue pleine de pudeur.

Dans le Paris occupé, Sophie Vasseur (Romane Bohringer), âgée de vingt ans, devient l'accompagnatrice d'Irène Brice (Elena Safonova), qui, ambitieuse, sûre de son exceptionnel talent et de son charme, prépare une carrière internationale. Adulée[2] par son mari (Richard

1. *Co-scénariste* : qui écrit avec un autre un scénario, c'est-à-dire la description de l'action d'un film, comprenant généralement aussi les indications techniques et les dialogues.
2. *Adulée* : adorée, vénérée.

Bohringer), elle entretient pourtant avec Jacques Fabert, un résistant de la première heure, une liaison passionnelle d'une grande intensité. Malgré le succès de ses concerts parisiens, Irène prendra la fuite avec son mari et son accompagnatrice, et rejoindra Londres.

Ainsi racontée l'histoire peut apparaître au premier degré une nouvelle étude des milieux collaborateurs et résistants de l'époque occupée. Si l'on sent peser cette servitude [1] tout au long du récit, *L'Accompagnatrice* parle avant tout des rapports de fascination entretenus par deux femmes, et de l'amour fou qui peut sauver ou détruire un individu. La caméra de Claude Miller fixe les regards, devine les sentiments cachés et, par une précision de tous les instants, même dans la façon particulière de cadrer les objets, rend familier un univers qui s'écroule.

L'interprétation suit les arcanes [2] du récit. Sobres, les deux actrices échangent leur pudeur sans recourir forcément aux mots. Romane Bohringer, plus que convaincante, nous fait croire à son personnage et en tire le meilleur parti. Si le personnage de Fabert peut sembler inexistant, il ne faut pas oublier que tout le récit ne prend qu'un seul point de vue : celui de la narratrice, cette accompagnatrice qui ne fait que le croiser.

Respectueux de l'esprit qui anime le livre de Nina Berberova, mais libre de conduire son histoire sur d'autres chemins, Claude Miller donne ici une leçon d'adaptation littéraire dont devraient s'inspirer tous les cinéastes. Ni servile, ni traître, le réalisateur permet une autre approche et laisse intact, grâce à son film émouvant, le plaisir de lecture. Bravo et merci monsieur Miller.

Jean-Rémi Barland © *Le Provencal*/Jean-Rémi Barland.

En quoi l'œuvre de Claude Miller est-elle une adaptation, une transposition du roman de Nina Berberova ?

À votre avis, comment le cinéaste pourrait-il justifier les modifications qu'il a fait subir au récit ?

---

1. *Servitude* : synonyme ici de contrainte.
2. *Arcanes* : mystères, secrets.

Expliquez l'expression « Ni servile, ni traître », que l'on trouve à la fin de l'article. Pensez-vous qu'il soit possible que l'adaptation cinématographique d'une œuvre littéraire « laisse intact [...] le plaisir de lecture » ?

Dernières parutions

ASIMOV
Le Club des Veufs noirs (314)

BAUM (L. FRANK)
Le Magicien d'Oz (315)

CARRIÈRE (JEAN-CLAUDE)
La Controverse de Valladolid (164)

« C'EST À CE PRIX QUE VOUS MANGEZ DU SUCRE... » Les discours sur l'esclavage d'Aristote à Césaire (187)

CEUX DE VERDUN
Les écrivains et la Grande Guerre (134)

CHEDID (ANDRÉE)
Le Message (310)

CHRÉTIEN DE TROYES
Lancelot ou le Chevalier de la charrette (116)
Perceval ou le Conte du graal (88)
Yvain ou le Chevalier au lion (66)

CLAUDEL (PHILIPPE)
Les Confidents et autres nouvelles (246)

COLETTE
Le Blé en herbe (257)

CRIME N'EST JAMAIS PARFAIT (LE)
Nouvelles policières 1 (163)

DUMAS
Pauline (233)

FAIRE VOIR : QUOI, COMMENT, POUR QUOI ?
Anthologie (320)

FERNEY (ALICE)
Grâce et dénuement (197)

GRUMBERG (JEAN-CLAUDE)
L'Atelier (196)

HOMÈRE
L'Odyssée (125)

HUGO
Ruy Blas (243)

MME DE LAFAYETTE
La Princesse de Clèves (308)

LA FONTAINE
Le Corbeau et le Renard et autres fables – *Nouvelle édition des* Fables (319)

LAROUI (FOUAD)
L'Oued et le Consul et autres nouvelles (239)

LE FANU (SHERIDAN)
Carmilla (313)

MAUPASSANT
Le Horla (11)
Le Papa de Simon (4)
Toine et autres contes normands (312)

MÉRIMÉE
Carmen (145)
Mateo Falcone. Tamango (104)

MOLIÈRE
Le Bourgeois gentilhomme (133)
George Dandin (60)
Le Médecin volant. La Jalousie du Barbouillé (242)

MONTESQUIEU
Lettres persanes (95)

NOUVELLES DE FANTASY 1 (316)

NOUVELLES FANTASTIQUES 2
Je suis d'ailleurs et autres récits (235)

PERRAULT
Contes – *Nouvelle édition* (65)

PIRANDELLO
Donna Mimma et autres nouvelles (240)

PRÉVOST
Manon Lescaut (309)

RISQUE ET PROGRÈS
Anthologie (258)

ROUSSEAU
Les Confessions (238)

STOKER
Dracula (188)

SURRÉALISME (LE)
Anthologie (152)

TROIS CONTES PHILOSOPHIQUES
(Diderot, Saint-Lambert, Voltaire, 311)

VOLTAIRE
Zadig – *Nouvelle édition* (30)

WESTLAKE (DONALD)
Le Couperet (248)

08/01/135401-I-2008 – Impr. MAURY Imprimeur, 45330 Malesherbes.
N° d'édition LO1EHRN000170N001. – mars 2008. – Printed in France.